崇文馆 家庭典藏

崇文国学经典 普及文库

随园诗话

（清）袁枚◎著 雷芳◎注译

长江出版传媒
崇文书局

随园诗话

图书在版编目（CIP）数据

随园诗话 /（清）袁枚著；雷芳注译.
—武汉：崇文书局，2017.1
（崇文国学经典普及文库）
ISBN 978-7-5403-4244-9
Ⅰ．①随…
Ⅱ．①袁… ②雷…
Ⅲ．①诗话－中国－古代②《随园诗话》－注释③《随园诗话》－译文
Ⅳ．① I207.22
中国版本图书馆 CIP 数据核字（2016）第 251383 号

出 品 人　潘启胜

统　　筹　陈中琼
责任编辑　陈中琼　董　颖

出版发行　长江出版传媒｜崇文书局
地　　址　武汉市雄楚大街 268 号 C 座 11 层
电　　话　(027)87293001　邮政编码　430070

印　　刷　中印南方印刷有限公司
开　　本　889×1194　1/32
印　　张　7.75
字　　数　170 千字
版　　次　2017 年 1 月第 1 版
印　　次　2017 年 1 月第 1 次印刷
定　　价　25.80 元
（如发现印装质量问题，影响阅读，请与承印厂调换）

总序

现代意义的“国学”概念，是在19世纪西学东渐的背景下，为了保存和弘扬中国优秀传统文化而提出来的。1935年，王缁尘在世界书局出版了《国学讲话》一书，第3页有这样一段说明：“庚子义和团一役以后，西洋势力益膨胀于中国，士人之研究西学者日益众，翻译西书者亦日益多，而哲学、伦理、政治诸说，皆异于旧有之学术。于是概称此种书籍曰‘新学’，而称固有之学术曰‘旧学’矣。另一方面，不屑以旧学之名称我固有之学术，于是有发行杂志，名之曰《国粹学报》，以与西来之学术相抗。‘国粹’之名随之而起。继则有识之士，以为中国固有之学术，未必尽为精粹也，于是将‘保存国粹’之称，改为‘整理国故’，研究此项学术者称为‘国故学’……”从“旧学”到“国故学”，再到“国学”，名称的改变意味着褒贬的不同，反映出身处内忧外患之中的近代诸多有识之士对中国优秀传统文化失落的忧思和希望民族振兴的宏大志愿。

从学术的角度看，国学的文献载体是经、史、子、集。崇文书局的这一套国学经典普及文库，就是从传统的经、史、子、集中精选出来的。属于经部的，如《诗经》《论语》《孟子》《周易》《大学》《中庸》《左传》；属于史部的，如《战国策》《史记》《三国志》《贞观政要》《资治通鉴》；属于子部的，如《道德经》《庄子》《孙子兵法》《鬼谷子》《世说新语》《颜氏家训》《容斋随笔》《本草纲目》《阅微草堂笔记》；属于集部的，如《楚辞》《唐诗三百首》《豪放词》《婉约词》《宋词三百首》《千家诗》《元曲三百首》《随园诗话》。这套书内容丰富，而分量适中。一个希望对中国优秀传统文化有所了解的人，读了这些书，一般说来，犯常识性错误的可能性就很小了。

崇文书局之所以出版这套国学经典普及文库，不只是为了普及国学常识，更重要的目的是，希望有助于国民素质的提高。在国学教育中，有一种倾向需要警惕，即把中国优秀的传统文化"博物馆化"。"博物馆化"是20世纪中叶美国学者列文森在《儒教中国及其现代命运》中提出的一个术语。列文森认为，中国传统文化在很多方面已经被博物馆化了。虽然中国传统的经典依然有人阅读，但这已不属于他们了。"不属于他们"的意思是说，这些东西没有生命力，在社会上没有起到提升我们生活品格的作用。很多人阅读古代经典，就像参观埃及文物一样。考古发掘出来的珍贵文物，和我们的生命没有多大的关系，和我们的生活没有多大关系，这就叫作博物馆化。"博物馆化"的国学经典是没有现实生命力的。要让国学经典恢复生命力，有效的方法是使之成为生活的一部分。崇文书局之所以强调普及，深意在此，期待读者在阅读这些经典时，努力用经典来指导自己的内外生活，努力做一个有高尚的人格境界的人。

国学经典的普及，既是当下国民教育的需要，也是中华民族健康发展的需要。章太炎曾指出，了解本民族文化的过程就是一个接受爱国主义教育的过程："仆以为民族主义如稼穑然，要以史籍所载人物制度、地理风俗之类为之灌溉，则蔚然以兴矣。不然，徒知主义之可贵，而不知民族之可爱，吾恐其渐就萎黄也。"(《答铁铮》)优秀的传统文化中，那些与维护民族的生存、发展和社会进步密切相关的思想、感情，构成了一个民族的核心价值观。我们经常表彰"中国的脊梁"，一个毋庸置疑的事实是，近代以前，"中国的脊梁"都是在传统的国学经典的熏陶下成长起来的。所以，读崇文书局的这一套国学经典普及读本，虽然不必正襟危坐，也不必总是花大块的时间，更不必像备考那样一字一句锱铢必较，但保持一种敬重的心态是完全必要的。

期待读者诸君喜欢这套书，期待读者诸君与这套书成为形影相随的朋友。

陈文新

（教育部长江学者特聘教授，武汉大学杰出教授）

前言

《随园诗话》是清代文学理论著作，袁枚著。袁枚（1716—1797），字子才，号简斋，一号存斋，世称随园先生，晚年自号仓山居士、随园老人，浙江钱塘（今浙江杭州）人。乾隆四年（1739）进士，选翰林院庶吉士，乾隆七年（1742）外放，历官溧水、江浦、沭阳、江宁等地知县。乾隆十三年（1748），年33岁即辞官，卜居于江宁小仓山之随园，除乾隆十七年（1752）曾官陕西一年外，不再出仕，以诗文名于世。他交游甚广，为当时诗坛所宗仰者近50年。著述甚丰，有《小仓山房诗文集》80余卷，诗话、尺牍、说部共30余种，影响很大。随园，在江宁（今江苏南京）小仓山，是袁枚辞官后所筑别墅名。袁枚的诗话即撰写于此，故名《随园诗话》。

在袁枚之前，清初最负盛名的诗人是王士祯，以“神韵”作为论诗、选诗和创作的最高境界。与袁枚同时而稍前的另一位著名诗人是沈德潜，他提出“温柔敦厚”的主张，讲诗格、诗体，重比兴、蕴蓄，提倡论法、学古。袁枚的诗论基于这两人，并持不同见解。他对于“神韵”说不一定持相反的态度，而是把它纳入自己的理论系统之中，认为“神韵”不过是诗中的一格，作诗不必首首如此，也不可不知道这种境界。但对于“温柔敦厚”的说法，尤其是格调的说法却针锋相对。

他论诗力倡性灵说，《随园诗话》集中体现了这一主张。所谓“性灵”，就是不必讲境界的大小，格调的高低，只要能自然地风趣地反映诗人一时的感受，就同样都是好诗。他认为：“自三百篇至今日，凡诗之传者，都是性灵，不关堆垛。”在袁枚的理论体系中，性灵大致与性情相等，都是指诗人真情的抒发。他认为：“诗人者，不失其赤子之心也。”又说：“文以情生，未有无情而有文者。”他甚至把“诗言志”的传统诗教也纳入他的性情之中：“千古善言诗者，莫如虞舜，教夔典乐曰：‘诗言志。’言诗之必本乎性情也。”

他论诗虽重天分，却不废工力；虽尚自然，却不废雕饰。他认为：内容与形式，天分与学力，自然与雕饰，平淡与精深，学古与师心，都是相反相成的，诗人都应该兼收并蓄，不偏不倚地去对待。以“人工”济“天巧”，仍然是十分需要的，认为“诗难其雅也，有学问而后雅，否则俚鄙率意也”。

袁枚也重视灵感的产生，强调兴会。他说：“改诗难于作诗，何也？作

诗兴会所至，容易成篇。”又说：“《荀子》曰：‘人有失针者，寻之不得，忽而得之，非目加明也，眸而得之也。’所谓‘眸’者，偶睨及之也。唐人句云‘尽日觅不得，有时还自来’即‘眸而得之’之谓也。”这些理论，对以后的诗坛产生了很大影响。

他反对人们动辄打着“盛唐”的招牌、扛起“杜、韩”的家数。诗话中一再驳斥“宗盛唐”、“学七子”、“分唐宋”、“讲家数”等说法，一再反对模仿古人。但他在反对模仿、抄袭的同时，并不反对学习古人。他的诗话中，常常举李、杜、韩、苏四家和中晚唐、宋、元名家作为学习的对象，并具体指出：古风须学前者，近体须学后者。

《随园诗话》除论诗外，还采录了大量同时期诗作者的诗歌创作。“门户须宽，采取须严”是他录诗的原则。

《随园诗话》问世以后，毁誉均有，近世对于《随园诗话》的评价也有分歧，或斥之为唯心主义、形式主义，但随着时间的推移，人们已逐渐认识到它的价值，肯定了它在古代文论中的重要地位。由于作者所处的时代和认识上的局限，书中也存在着一些消极的东西，如对权贵的吹捧，对神鬼、迷信、色情的描述，对农民起义领袖、邻邦、少数民族的蔑视，对此应予以批判。

该注译本是原著的摘录本，原著有诗话 16 卷 1363 篇，补遗 10 卷 654 篇，每一篇并无标题。此处只选择反映其诗论精髓的多篇，另选了一些趣闻、轶事、妙诗，并为所选篇目加上了标题，作了翻译，还对一些疑难字词进行了注释。本书在校理过程中，参考了陕西旅游出版社校注本、远方出版社校注本、人民文学出版社校点本、时代文艺出版社校注本，特此说明致谢。由于译者水平所限，错误之处在所难免，敬请读者指正。

卷一

卷二

卷三

卷四

卷五

卷六

卷七

卷八

卷九

卷十

卷十一

卷十二

卷十三

卷十四

卷十五

卷十六

随园诗话补遗

补遗卷一

补遗卷二

补遗卷三

补遗卷四

补遗卷六

补遗卷八

补遗卷九

补遗卷十

卷一

一、诗言志

【原文】

古英雄未遇时，都无大志，非止邓禹希文学，马武望督邮也。晋文公有妻有马，不肯去齐。光武贫时，与李通讼逋[1]租于严尤。尤奇而目之。光武归谓李通曰："严公宁[2]目君耶？"窥其意，以得严君一盼为荣。韩蕲王为小卒时，相士言其日后封王。韩大怒，以为侮己，奋拳殴之。都是一般见解。鄂西林相公《辛丑元日》云："揽镜人将老，开门草未生。"《咏怀》云："看来四十犹如此，便到百年已可知。"皆作郎中时诗也。玩其词，若不料此后之出将入相者。及其为七省经略，《在金中丞席上》云："问心都是酬恩客，屈指谁为济世才？"《登甲秀楼》绝句云："炊烟卓午散轻丝，十万人家饭熟时。问讯

何年招济火？斜阳满树武乡祠。”居然以武侯自命：皆与未得志时气象迥异。张桐城相公则自翰林至作首相，诗皆一格。最清妙者：“柳荫春水曲，花外暮山多。”“叶底花开人不见，一双蝴蝶已先知。”“临水种花知有意，一枝化作两枝看。”《扈跸》云：“谁怜七十龙钟叟，骑马踏冰星满天。”《和皇上风筝》云：“九霄日近增华色，四野风多仗宝绳。”押“绳”字韵，寄托遥深。

【注释】

①逋：拖欠，拖延。

②宁：审视。

【译文】

古代英雄在没有找到用武之地时，大都没有立下远大的志向。这样的例子很多，如邓禹只通过文学来寄托希望，马武只希望做一名小小的督邮官。晋文公因有妻室和马匹，不愿意离开齐国。光武帝在落魄时，和李通因为拖税的事情到严尤处打官司。严尤因感到奇怪就盯着他看了几眼，光武帝回去后对李通说：“严公盯着你看了吗？”他的言下之意是，被严尤注视是一件荣幸的事情。韩蕲王还是无名小卒时，看相的人断定他日后必定被封王。韩大怒，认为看相之人是在讥讽自己，于是挥拳相向。以上这些人都表现了一个特点，即没有料到自己日后会有所作为。鄂西林相公曾在《辛丑元日》中写过这样的句子：“拿着镜子看自己快要老了，打开门却看到春草还未长出。”他还在《咏怀》中说道：“看来四十岁就已经这样了，那么老到百岁的样子也可以推知了。”这都是他做郎中时所作的诗。品味这些诗词,怎么也不会料到他日后将出将入相。他做了七省经略后,《在金中丞席上》说:“扪心自问,我们都很幸运地被提拔,屈指算一算,又有谁是真正的济世奇才呢?”他还在《登甲秀楼》绝句中说道:“袅袅炊烟像千条轻丝飘浮在中午的天空,此时正是千家万户饭香菜熟之时。请问哪年哪月会招来济世救民的火焰?只见武侯旧祠被树缝中透来的夕阳照得金黄一片。”他居然以武侯自比,与没有得志时的气象迥然不同了。张桐城相公则不然,他从做翰林一直到做宰相,所作诗歌都是一个风格。他最清秀的诗句有:“柳荫下的一湾春水曲曲折折地流淌,重重叠叠的山峦旁百花竞相开放。”“叶子底下开的花,人虽然看不见,一双蝴蝶却早已知道了。”“在溪边种花就会知道其中的意境,水中映花,一枝便化作两枝了。”他在《扈跸》上讲:“似乎让人怜悯的龙钟老头,却能趁着满天星斗骑马踏冰。”在他的《和皇上风筝》中又讲道:“风筝在九霄上空飞行,靠日光的照射而绚烂多彩,四面虽有旷野之风的吹拂,风筝却倚仗绳子的稳定作用而逍遥自在。”此处押“绳”字韵,寄托了内心远大的理想和抱负。

二、诗在骨不在格

【原文】

杨诚斋曰:“从来天分低拙之人,好谈格调,而不解风趣。何也?格调是空架子,有腔口易描;风趣专写性灵,非天才不办。”余深爱其言。须知有性情,便有格律,格律不在性情外。《三

百篇》半是劳人思妇率意言情之事，谁为之格？谁为之律？而今之谈格调者，能出其范围否？况皋、禹之歌，不同乎《三百篇》；《国风》之格，不同乎《雅》、《颂》：格岂有一定哉？许浑云："吟诗好似成仙骨，骨里无诗莫浪吟。"诗在骨不在格也。

【译文】

杨诚斋说："古往今来，天分低拙的人，大都喜欢谈论诗歌的格调，而不懂得其中的风情趣味。为什么会这样呢？因为格调只是空架子，只要有嘴就能描绘出来；而风趣专门描写性灵，不是天才就办不到。"我十分喜欢这段话。要知道，有了性情就有了格律，格律不会出于性情之外。《三百篇》中有一半是劳动者及思妇直率言情的，有谁为他们定过格式呢？又有谁为他们定过韵律呢？而现在谈格调的，能超出这个范围吗？况且，皋、禹时代的歌谣与《三百篇》不同；《国风》的风格与《雅》、《颂》不同。难道风格是可以用一定的规矩来制约的吗？许浑说过："吟诗好比求道成仙，骨子里没有诗根就不要乱吟。"可见，诗歌的可贵之处在于风骨，不在于格调。

三、存是去非

【原文】

前明门户之习，不止朝廷也，于诗亦然。当其盛时，高、杨、张、徐，各自成家，毫无门户。一传而为七子；再传而为钟、谭，为公安；又再传而为虞山。率皆攻排诋呵，自树一帜，殊可笑也。凡人各有得力处，各有乖谬处，总要平心静气，存其是而去其非。试思七子、钟、谭，若无当日之盛名，则虞山选《列朝诗》时，方将搜索于荒村寂寞之乡，得半句片言以传其人矣。敌必当王，射先中马，皆好名者之累也！

【译文】

明朝的门户观念，不只是在朝廷上有，在作诗方面也有这样的表现。当明诗处于鼎盛时期，高、杨、张、徐各成一家，却毫无门户观念。然而自他们之后，从明七子始，再到后来的钟、谭及公安派，以及后来的虞山派，他们都互相攻击诋毁，打出各自的旗帜，真是十分可笑。每个人都有自己的长处，也都有自己的缺点，因此应平心静气，保留正确的而去掉错误的。试想明七子、钟、谭，假如没有当时的盛名，那么虞山选录《列朝诗》时，必将从荒村野岭那无人知晓的地方搜集，只不过搜得只言片语传给后人罢了。攻敌一定要先擒王，射人一定要先射马。批评人就要切中其要害，而门户观念只不过是喜好名声的人的牵累罢了。

四、政简刑清

【原文】

乾隆丙辰，余二十一岁，起居叔父于广西。抚军金震方先生一见有国士之目，特疏荐博学宏词。首叙年齿，再夸文学，并云："臣朝夕观其为人，性情恬淡，举止安详。国家应运生才，必为大成之器。"一时司道争来探问。公每见属吏，谈公事外，必及余之某诗某句，津津道之，并及其容止动作。余在屏后闻之窃喜。探公见客，必随而窃听焉。呈七排一首，有句云："万里阙前修荐表，百官座上叹文章。"盖实事也。公有诗集数卷，殁后无从编辑，仅记其《答幕友祝寿》云："浮生虚逐黄云度，高士群歌《白雪》来。"《题八桂堂》云："尽日天香生画戟，有时鹤舞到匡床。"想见抚粤九年，政简刑清光景。

【译文】

乾隆丙辰年间，我二十一岁，到广西去看望叔父。抚军金震方先生一见到我，就把我看作国家的栋梁之材，并特别推荐我入博学鸿词科。他首先问了我的年龄，然后夸我的文才学识，并说："我早晚观察，他为人性情恬淡，举止安详。国家应运生才，他一定会成大器。"一时间司道争相前来探问。先生每次见自己的部下，谈完公事，必定谈到我的某首诗某句话，津津乐道，说时还带有表情和动作。我在屏风之后听了暗暗高兴。一得知金公有客人来，我必暗暗跟随到后边偷听。我曾呈给他一首七律，其中有句说道："在万里边关还要写推荐别人的表文，在百官座上夸赞别人的文章。"这都是事实。金公有好几卷诗集，死后却没有人编辑，我仅记得他的一首《答幕友祝寿》说："一生飘浮像云一样地虚度过去，交往的高士一起高唱《白雪》歌。"《题八桂堂》说："满天都是香味，在我摆放画戟的屋里，有时会梦见仙鹤在枕边跳舞。"从这里可以想象出金公在广西做官的九年，其政治简练、刑法清明的景象。

五、切勿抄袭

【原文】

古无类书，无志书，又无字汇，故《三都》、《两京》赋，言木则若干，言鸟则若干，必待搜辑群书，广采风土，然后成文。果能才藻富艳，便倾动一时。洛阳所以纸贵者，直是家置一本，当类书、郡志读耳。故成之亦须十年、五年。今类书、字汇，无所不备。使左思生于今日，必不作此种赋。即作之，不过翻摘故纸，一二日可成。而抄诵之者，亦无有也。今人作诗赋，而好用杂事僻韵，以多为贵者，误矣！

【译文】

古代没有类书，没有志书，也没有字典，因此在《三都赋》、《两京赋》中，谈到树木就有若干，谈到飞鸟就有若干，一定要等到遍查群书，广泛采集风土人情，然后才能写成文章。如果能够达到才情丰富，辞藻华美，便会引起众人钦羡，轰动一时。左思所著《三都赋》，之所以能够洛阳纸贵，只是因为家中购置这么一本书，便可当作类书、郡志来读罢了。所以写成这么一本书也就需要个十年八载。现今的类书、字典，都非常齐全，假使左思出生在今天，一定不会作出这种辞赋。即使作了，也不过是从故纸堆中翻录摘抄，一两天就可写成。而将它抄录下来背诵的人，也不会有。现在的人作诗写赋，喜欢运用繁杂琐事及冷僻险韵，认为篇幅越多越好，这其实是一种误区。

卷二

六、名末必副实

【原文】

古称状元，不必殿试第一名。唐郑谷登第后，《宿平康里》诗曰：“好是五更残酒醒，耳边闻唤状元声。”按：谷登赵昌翰榜，名次第八，非第一也。周必大有《回姚状元颖启》、《回第二人叶状元适启》。当时新进士，皆得称状元。惟南汉状元不可作。《十国春秋》载：“刘龚定例，作状元者，必先受宫刑。”罗履先《南汉宫词》云：“莫怪宫人夸对食，尚衣多半状元郎。”古称探花，不必第三名。《天中记》：“唐进士杏园初会，使少俊二人探花游园，若他人先折名花，则二人被罚。”蔡宽夫《诗话》云：“故事，进士朝集，择年少者为探花使。”是探花者，年少进士之职，非必第三名也。进士帽上多插花。太宗曰：“寇准少年，正插花饮酒时。”温公性严重，不肯插花。或曰：“君恩也。”乃插一枝。大概以年少者为贵。某《及第》诗曰：“人老簪花不自羞，花应羞上老人头。醉归扶杖人多笑，十里珠帘半下钩。”或又曰：“平康过尽无人问，留得宫花醒后看。”皆伤老之词。熙宁间，余中请禁探花，以为伤风化，遂停此例。后中以赃败，人咸鄙之。王弇洲曰：“禁探花之说，譬如新妇入门，不许妆饰，便教绩麻、造饭，理非不是也，而事太早矣。”余按李焘《长编》载：“陈若拙中进士第三名，以貌陋，人称瞎榜。”盖宋以第三名为榜眼，亦探花不必第三名之证。

【译文】

在古代，被称为状元的人，不一定是殿试中取得第一名的人。唐代的郑谷考中后，在《宿平康里》诗中讲：“恰好在五更时分从酒醉中醒来，就听到有人在耳边喊我为状元的声音。”而据记载，郑谷登赵昌翰榜，名次是第八，并不是第一。周必大写了《回姚状元颖启》、《回第二人叶状元适启》。里面说到，当时的新科进士都可以称为状元。只有南汉状元不是这样。《十国春秋》中记载：“刘龑定下规矩，做状元的人，必须先接受宫刑。”罗履先在《南汉宫词》中说道：“不必惊讶宫人都爱夸耀自己的同伴，这些人中有许多都是状元郎。”古代被称作探花的，也不一定就是第三名。《天中记》一书中说：“唐代的进士初次在杏园中相会，先派两个年轻人在花园里找寻名花，如果名花被别的人先折了，那么这两人要受到处罚。”蔡宽夫在《诗话》里说：“过去进士入朝时，选择年纪轻的为探花使者。”如此看来，被称作探花的，是指年少进士，不一定是第三名。进士的帽子上大多戴着花。宋太宗说：“寇准年轻英俊，正是插花饮酒的好时候。”司马温公性情严谨，不肯插花。有人说：“这是皇帝的恩赐。”他才插了一枝。从以上情况看，大概以年轻为贵。有人写《及第》诗说：“年纪大的人自己插花不感到羞耻，但花却羞于插到我的头上。喝醉了酒拄着拐杖回家，沿途的人都笑我，纷纷放下珠帘不愿见到我。”又有诗说：“平庸走过的岁月没有人过问，留得宫花等酒醒后看。”这些都是伤感老迈的诗。熙宁年间，余中请求禁止探花，认为有伤风化，于是这项定例就被停止了。后来余中因为贪污败落，人们都十分鄙视他。王弇洲说：“禁止探花的说法，就像新媳妇过了门，不让打扮，就让她织布做饭，按理说这事不是不对，但为时太早。”我考证过李焘《长编》所载：“陈若拙中了进士第三名，因为相貌丑陋，被人称为瞎榜。”大概后来宋朝以第三名为榜眼，这也是探花不一定就是第三名的证据。

七、改诗难于作诗

【原文】

改诗难于作诗，何也？作诗，兴会所至，容易成篇；改诗，则兴会已过，大局已定，有一二字于心不安，千力万气，求易不得，竟有隔一两月，于无意中得之者。刘彦和所谓“富于万篇，窘于一字”，真甘苦之言。《荀子》曰：“人有失针者，寻之不得，忽而得之，非目加明也，眸而得之也。”所谓“眸”者，偶睨及之也。唐人句云：“尽日觅不得，有时还自来。”即“眸而得之”之谓也。

【译文】

修改诗歌比创作诗歌还难，为什么呢？作诗时，灵感来了，很容易成文；改诗时，兴情、灵感已失，只是有一二个字觉得不妥，导致心中不安，使尽千力万气，想换一个却不成，有的竟然隔一两个月，才在无意中得以改成。刘彦和说“能够写出一万首诗，却为一个字而感到窘迫”，这真是道出了其中的甘苦啊。《荀子》中说道：“有人掉了针，怎么找也找不到，无意之中却忽然找到了，并不是眼睛比以前明亮了，只不过是无意中看到罢了。”所谓“眸”，是指偶然一瞥就找到了的意思。唐代人有句诗说：“整天找都找不到，有时候它却自己来了。”这就是说的“眸而得之”的意思。

八、诗贵深意

【原文】

诗无言外之意，便同嚼蜡。杭州俞苍石秀才《观绳伎》云：“一线腾身险复安，往来不厌几回看。笑他着脚宽平者，行路如何尚说难？”又，“云开晚霁终殊旦，菊吐秋芳已负春。”皆有意义可思。严冬友壮年不仕；《韦曲看桃花》云：“凭君眼力知多少，看到红云尽处无。”

【译文】

诗如果没有言外之意，弦外之音，读来便如同嚼蜡，索然无味。杭州俞苍石秀才在《观绳伎》中说：“一条线上腾挪跳跃既惊险又安全，来来往往使人很喜欢看。可笑那些脚长得又宽又长的人，为什么还要说走路难？”又说：“夜晚虽然云开雾散，天色晴朗，但毕竟与早上不相同；菊花尽管在秋天吐露芬芳，却辜负了美好的春光。”这些诗句都含有深刻的意义，值得你去思索。严冬友壮年时没有做官，在《韦曲看桃花》一诗中说：“任凭你的眼力有多好，但盛开如红云似的桃花你却一眼看不到尽头。”

九、每出必携书

【原文】

康熙间，曹练亭为江宁织造，每出，拥八驺，必携书一本，观玩不辍。人问："公何好学？"曰："非也。我非地方官，而百姓见我必起立，我心不安，故借此遮目耳。"素与江宁太守陈鹏年不相中。及陈获罪，乃密疏荐陈。人以此重之。其子雪芹撰《红楼梦》一部，备记风月繁华之盛。明我斋读而羡之。当时红楼中有某校书尤艳，我斋题云："病容憔悴胜桃花，午汗潮回热转加。犹恐意中人看出，强言今日较差些。""威仪棣棣若山河，应把风流夺绮罗。不似小家拘束态，笑时偏少默时多。"

【译文】

康熙年间，曹练亭任江宁织造，每次出门，都要动用八匹马，并带上一本书，不停地阅读玩赏。有人问："您为什么如此好学？"他回答说："并不是我好学。我不是地方官，然而百姓却一见我就要起立，我于心不安，因而借此来遮掩耳目。"他平素与江宁太守陈鹏年不合，当陈获罪时，他却秘密上书为他申诉，人们都因此事而敬重他。他的儿子曹雪芹撰写《红楼梦》一部，详细记载了风月繁华的盛况，明我斋读后十分钦羡他。当时红楼中有一女子十分美丽，明我斋题诗说："病容憔悴但容貌仍然胜似桃花，中午出汗后更加感到闷热。还担心意中人看出自己身体不适，勉强说今天身体好些了。""庄重的容貌举止像山河一样雍容娴雅，风流体态从衣衫中显露出来了。没有小家碧玉那样的拘束不安的样子，笑的时候较少而默默无语的时候较多。"

一〇、须知慈母是先生

【原文】

虞山王次山先生峻风骨严峭，馆蒋文肃公家，晚不戒于酒，肆口谩骂。蒋家人群欲殴之。文肃呵禁。次日，待之如初。先生不自安，辞去。余己未会试，出文恪公门下，闻此说而疑之。后读先生《哭文肃公》诗云："回首却伤门下士，少时无赖吐车茵。"方知此事信有；愈征文肃之贤，而先生之不讳过也。先生少所许可，独誉枚不绝于口。以故，枚虽报罢鸿词科，而名声稍起公卿间。惜无所树立，以酬先生之知。而先生自劾罢都御史彭茶陵，直声震天下。后竟卧病不起，悲夫！

博陵尹元孚先生，少孤贫，以母教成名。督学江南，好教人读《小学》，宗程、朱。余时宰江宁，意趣不合。一日，先生驺唱《三山街》，为某大将军家奴所窘，诈称某王遣来。太守不敢诘，予收缚置狱。先生以此见重。适高相国斌有事来江宁，先生面称枚云："才如子建，政如子产。"亡何，先生薨。予感知己之恩，将赋挽诗，见次山先生四章，不能再出其右，遂搁笔焉。其警句云："母教成三徙，君恩厚两朝。"又曰："士幸方知向，天何遽夺公！"

从古文人得功于母教者多，欧、苏其尤著者也。次山题钱修亭《夜纺授经图》曰："辛勤篝火夜灯明，绕膝书声和纺声。手执女工听句读，须知慈母是先生。"

【译文】

虞山王次山先生，名峻，长得风骨奇峻，寄住在蒋文肃公家里。有天晚上，他喝了很多酒，喝醉便肆意谩骂。蒋家的人都忍不住要想打他，被文肃公喝止住了。到了第二天，他待王次山先生仍像往日一样。王次山感觉很不好意思，便告辞走了。我那时还未曾参加会试，出入文恪公门下，听说此事，怀疑这是谣传。后读王次山先生写的《哭文肃公》，诗中说："回想过去我伤过您家里的人，那都是少不更事胡说八道。"我这才知道确有此事，便更加钦佩文肃公的贤良，以及次山先生不掩饰自己的过错的胸襟。先生很少夸人，而在夸我的时候赞不绝口。因此，我虽考上了进士，名声在公卿间也稍稍传扬，可惜却没什么大的建树，以报答先生的知遇之恩。而先生自从弹劾罢免了都御史彭茶陵后，名声威震天下。后来竟然卧病不起，实在是可叹啊！

博陵的尹元孚先生，小时候无父家贫，因为母亲的教育而成名。他在江南督学时，喜欢教别人读《小学》，尊崇程、朱。我那时负责江宁事务，和他意趣不合。有一天先生在吟唱诗作《三山街》，被某大将军的家奴所嘲笑。我谎称先生是某王派来的，太守便不敢责问他，还把家奴关进了监狱。先生因为这事而非常看得起我。刚好当时高斌相国来江宁，先生当面称赞我说："才华和曹子建一样，治理政事和子产一样。"不多久，先生便去世了。我感谢他的知遇之恩，准备写几首挽诗，可当看到王次山先生的四章时，觉得自己无法超越他，于是就搁笔不写了。这四章中有名的句子有："母亲的教诲令儿子成名，皇帝的恩泽遍及两代人。"又说："大家都为有这样的名士而庆幸，可苍天为何又夺走了你！"

自古得益于母亲教育的文人有不少，其中尤以欧阳修、苏轼最为典型。王次山先生题钱修亭的《夜纺授经图》中说："晚上辛勤劳作灯火通明，孩子在膝旁读书的声音和着那织布纺线的声音。手里做着活儿听儿子读书，要知道慈母就是先生啊。"

卷三

一一、诗难事也

【原文】

夫用兵，危事也；而赵括易言之，此其所以败也。夫诗，难事也；而豁达李老易言之，此其所以陋也。唐子西云："诗初成时，未见可訾处，姑置之。明日取读，则瑕疵百出，乃反复改正之。隔数日取阅，疵累又出，又改正之。如此数四，方敢示人。"此数言，可谓知其难而深造之者也。然有天机一到，断不可改者。余《续诗品》有云："知一重非，进一重境；亦有生金，一铸而定。"

【译文】

用兵打仗是一件危险的事，而赵括却说得很容易，这就是他之所以失败的原因。写诗也是难事，而豁达的李老却说得很容易，这就是他的诗之所以浅陋的原因。唐子西说："诗刚刚写成的时候，没有发现需要修改的地方，姑且把它放到一边。第二天取出来读，就会觉得毛病百出，就反复对它加以改正。隔许多天后再拿出来读，不足之处又出现了，再一次加以改正。这样反复四次，才敢拿出来给别人看。"通过这几句话，就可知写诗的难处而且要有很深的造诣。当然也有灵感一来，不需要修改的。我的《续诗品》中有一句说："知道一重的错误，就进入了新一重的境界；也有天生的纯金，一次就铸定了，根本不用改造。"

一二、不能评第一

【原文】

人或问余以本朝诗，谁为第一？余转问其人：《三百篇》以何首为第一？其人不能答。余晓之曰：诗如天生花卉，春兰秋菊，各有一时之秀，不容人为轩轾[①]。音律风趣，能动人心目者，即为佳诗，无所谓第一、第二也。有因其一时偶至而论者，如"不愁明月尽，自有夜珠来"一首，宋居沈上。"文章旧价留鸾掖，桃李新阴在鲤庭"一首，杨汝士压倒元、白是也。有总其全局而论者，如唐以李、杜、韩、白为大家，宋以欧、苏、陆、范为大家，是也。若必专举一人，以覆盖一朝，则牡丹为花王，兰亦为王者之香：人于草木，不能评谁为第一，而况诗乎？

【注释】

①轩轾：语出《诗经·小雅·六月》："戎车既安，如轾如轩。"车前高后低叫轩，前低后高叫轾。因此比喻高低、优劣。

【译文】

有人问我："本朝谁的诗写得最好？"我反问这个人："《三百篇》哪一篇最好？"这人回答不出。我明白地告诉他说："诗歌好像是天然生就的花卉，春天的兰草，秋天的菊花，各自有一时的美丽，不需人为论高低。只要是音律风趣，能打动人心的诗，就是好诗，没有必要分出第一、第二。有就诗人因一时的灵感写成的诗进行评论的，如'不愁明月尽，自有夜珠来'一首，宋之问居于沈佺期之上。'文章旧价留鸾掖，桃李新阴在鲤庭'一首，杨汝士压倒元稹、白居易。有从全局角度来论诗的，如唐朝以李白、杜甫、韩愈和白居易为诗家大家，宋朝以欧阳修、苏轼、陆游和范仲淹为大家。假若必须只列举出一个人，代表一个朝代，那么正如我们评牡丹是花中之王，兰花有花中王者的香气那样：人们对于草木尚且不能评出哪个是第一，更何况是评诗呢？"

一三、诗称家数

【原文】

王梦楼侍讲云："诗称家数，犹之官称衙门也。衙门自以总督为大，典史为小；然以总督衙门之担水夫，比典史衙门之典史，则亦宁为典史，而不为担水夫。何也？典史虽小，尚属朝廷命官；担水夫、衙门虽尊，与他无涉。今之学杜、韩不成，而矜矜然自以为大家者，不过总督衙门之担水夫耳。”叶横山先生云：“好摹仿古人者，窃之似，则优孟衣冠；窃之不似，则画虎类狗。与其假人余焰，妄自称尊，孰若甘作偏裨，自领一队？”

【译文】

王梦楼侍讲说：“诗论家数派别，就好比官员论衙门一样。衙门自然数总督最大，典史最小。然而把总督衙门的担水夫与典史衙门的典史相比，人们往往宁愿做典史而不愿做担水夫。为什么呢？典史之职虽然小，仍然属于朝廷命官；而总督衙门的担水夫，他所处的衙门虽然尊贵，却与他没有关系。现在的人学杜甫、韩愈的诗没学会，而自尊自大以为自己是大家，实际上不过是总督衙门的担水夫罢了。”叶横山先生说：“喜好模仿古人的人，学得像，是穿着行头装模作样，学得不像，则是画虎不成反类犬。与其借别人的余火，妄自尊大，不如甘心作偏裨小官，独树一帜。”

一四、富贵诗

【原文】

富贵诗有绝妙者，如唐人：“偷得微吟斜倚柱，满衣花露听宫莺。”宋人：“一院有花春昼永，八荒无事诏书稀。”“烛花渐暗人初睡，金鸭无烟却有香。”“人散秋千闲挂月，露零蝴蝶冷眠花。”“四壁宫花春宴罢，满床牙笏早朝回。”元人：“宫娥不识中书令，问是谁家美少年。”“袖中笼得朝天笔，画日归来又画眉。”本朝商宝意云：“帘外浓云天似墨，九华灯下不知寒。”“那能更记春明梦，压鬓浓香侍宴归。”汤西崖少宰云：“楼台莺蝶春喧早，歌舞江山月坠迟。”张得天司寇云：“愿得红罗千万匹，漫天匝地绣鸳鸯。”皆绝妙也。谁谓“欢娱之言难工”耶？

【译文】

反映荣华富贵的诗也有绝妙的，如唐朝人写的：“忙里偷闲，斜靠着柱子轻声吟咏，站在花丛中听宫莺的鸣啼，身上沾满了露水。”宋朝人有诗：“一个院子里有花，便感觉春天永存，各地平安无事，诏书自然稀少。”“烛花渐渐暗下来，人刚刚睡下，金鸭嘴里的香火没有烟，但却散发扑鼻的香气。”“人们都散去了，只留下空空的秋千在月光下荡悠着，露水下来了，蝴蝶冷清地睡在花丛中。”“四面摆满了宫花，春宴刚刚结束。满床的象牙笏，意味着早朝的官员回来了。”元朝人有诗：“宫中侍女不认识中书令，还打听这是谁家的英俊少年。”“袖中笼着朝见皇帝用的笔，公事办完回来又给夫人画眉。”本朝商宝意有诗说：“帘外的天空浓云密布，好似泼了墨汁一般，站在九华灯下却未感觉到寒冷。”“哪里记得春天里的美梦？刚刚陪宴回来，两鬓还残留着酒香。”汤西崖少宰有诗说：“只见楼台上有莺在啼叫，有蝴蝶在飞舞，才知道春天已早早来临，歌舞升平的时候月亮也迟迟不肯归去。”张得天司寇有诗说：“愿得到千万匹红罗，铺天盖地绣鸳鸯。”以上都是描写富贵繁华的绝妙诗句。谁说“欢娱的话语难以写成工整的诗歌”呢？

一五、杨花诗

【原文】

杨花诗最佳者，前辈如查他山云：“春如短梦初离影，人在东风正倚栏。”黄石牧云：“不宜雨里宜风里，未见开时见落时。”严遂成云：“每到月明成大隐，转因云热得佯狂。”薛生白云：“飘泊无端疑‘白也’，轻盈真欲类‘虞兮’。”王菊庄云：“不知日暮飞犹急，似爱天晴舞欲狂。”虞东皋云：“飘来玉屑缘何软，看到梅花尚觉肥。”意各不同，皆妙境也。近有人以此命题，燕以均云：“小院无端点绿苔，问他来处费疑猜。春原不是一家物，花竟偏能离树开。质洁未堪

污道路，身轻容易上楼台。随风似怕儿童捉，才扑栏杆又却回。”蔡元春云：“沾裳似为衣添絮，扑帽应怜鬓有霜。似我辞家同过客，怜君一去便无归。”李蒺云：“偶经堕地时还起，直到为萍恨始休。”杨芳灿云：“掠水燕迷千点雪，窥窗人隔一重纱。”“愿他化作青萍子，傍着鸳鸯过一生。”方正澍云：“春尽不堪垂老别，风停亦解步虚行。”钱履青云：“风便有时来砚北，月明无影度墙东。”严海珊咏《桃花》云：“怪他去后花如许，记得来时路也无。”暗中用典，真乃绝世聪明。

【译文】

杨花诗写得最好的，如前辈中查他山说：“春天像短暂的美梦一样刚刚离去，人还在东风中倚着栏杆。”黄石牧说：“不适合雨却适合风，不见开的时候只见落的时候。”严遂成说：“每到月明的时候就长出一大片，到了白天就顺风飞去。”薛生白说：“漂泊无端像是下雪，轻盈的姿态真像虞姬跳舞。”王菊庄说：“不知天已黑了还飞得那么着急，像是喜欢这样的晴天而发狂地飞舞。”虞东皋说：“飘来的玉屑为什么这样柔软呢？看到梅花还觉得长得十分肥胖。”意思不同，但都描述了一种奇妙的意境。近日有人用杨花为题来征诗，燕以均诗说：“杨花无端飞入小院，沾染了这绿色的青苔，想知道它的来处却费尽功夫。春天原来不是一家的东西，花怎么会离开树而依然开放。品质高洁不能污染道路，借着身轻登上楼台。随风而飘似乎怕儿童捉它，才扑向栏杆就又飞回去了。”蔡元春说：“沾到衣裳上像为衣服添些花絮，扑到帽子上

应该怜惜那满头的白发。像我一样离开家如过客一样，可怜你一去便没了归期。”李荚写道：“偶然落到地上又飞起来，直到做了浮萍恨才罢休。”杨芳灿说：“掠水的燕子被这千点‘雪花’所迷惑，看窗户外的人就像隔了一层纱。”“愿它化作浮萍，伴着鸳鸯度过一生。”方正澍说：“春天将尽，不能忍受老时的别离，风一停，才知道空走了那么远。”钱履青说：“趁着有风的时候来到我的砚台北面，趁着明亮的月光悄悄地飞过东边的墙头。”严海珊作《桃花》一诗：“怪他去后花如许，记得来时路也无？”（前句化用刘禹锡“玄都观里桃千树，尽是刘郎去后栽”两句诗，后句引用陶渊明《桃花源》的典故）暗中用典，真是聪明绝顶。

一六、薄命才女许宜媖

【原文】

江州进士崔念陵室许宜媖，七岁《玩月》云：“一种月团圆，照愁复照欢。欢愁两不着，清影上栏杆。”其父叹曰：“是儿清贵，惜福薄耳！”宜媖不得于姑，自缢死。其《春怀》云：“无穷事业了裙钗，不律闲拈小遣怀。按曲填词调玉笛，摘诗编谱入牙牌。凄凉夜雨谋生拙，零落春风信命乖。门外艳阳知几许，兼花杂柳鸟喈喈。”《寄外》云：“花缸对月相怜夜，恐是前身隔世人。”进士已早知其不祥，解环后，颜色如生。进士哭之云：“双鬟双绾娇模样，翻悔从前领略疏。”崔需次京师，又聘女鸾媖为妾。崔故贫士，归来省亲，媖之养父强售之于某千户，媖不从，诡呼千户为爷，而诉以原定崔郎之故，千户义之，不夺其志，仍以归崔。媖生时，母梦凤集于庭。崔赠云：“柳如旧皱眉，花比新啼颊，挑灯风雨窗，往事从头说。”

崔有《灌园余事》一集，载宜媖事甚详。陈淑兰女子阅之，赋诗责崔云：“可惜江州进士家，灌园难护一枝花。若能才子情如海，争得佳人一念差？”“自说从前领略疏，阿谁牵绕好工夫。宜媖此后心宜淡，莫再人间挽鹿车。”呜呼！淑兰吟此诗后十余年，亦缢死，可哀也！然宜媖死于怨姑，淑兰死于殉夫：有泰山鸿毛之别矣。

【译文】

江州进士崔念陵的妻子许宜媖，七岁时作《玩月》诗：“一样的圆月，既照忧愁又照欢乐。欢乐与忧愁都看不见，清影便照上了栏杆。”她的父亲感叹说：“这孩子清雅高贵，可惜就是福薄。”宜媖不为她的婆婆所容，后来上吊死了。她的《春怀》说：“无穷的事业都因身是女子而作罢，作些小诗来遣怀解闷，按曲填词调玉笛，摘取一些诗歌编成集子送到东坊。凄凉夜雨感叹生命艰难，零落春风使我相信命运不幸。门外的艳阳不知有多好，花柳相间中有鸟的鸣叫。”《寄外》说：“花缸对着月亮在夜里相互爱怜，恐怕它们前世是没有缘分的有情人。”崔念陵早就猜到她将有此不幸，将她从绳子上解下来时，颜色和活着的时候一样，进士哭着说：“看到你两鬓绾成两个发髻娇美的模样，真后悔以前我对你也太疏忽了。”崔进士到京城后，又聘了鸾媖为妾。崔念陵本来是贫苦的人，归来省亲，宜媖被她的养父强行卖给某千户，她不从，用计称千户为老爷，诉说她原来早定给崔进士了，千户十分仁义，不强夺她的志向，仍旧让她嫁给崔进士。宜媖生下来的时候，她母亲梦见有凤凰聚集在庭院里。崔进士赠诗说：“柳叶好像你以前的眉毛，花儿好比你的脸颊，在风雨之夜临窗挑灯，往事还得从头说起。”

崔进士有《灌园余事》一本，很详细地记载了宜媖的事迹。女子陈淑兰读了，写诗责怪崔念陵说：“可惜江州崔进士家里，偌大的一个灌园还掩护不了一枝花。倘若才子果真是情深似海，佳人又怎会产生那一念之差呢？”“说自已从前太疏忽了，可是谁又在其中作怪呢？从此以后宜媖应该想开一些了，因为她不会再在人间受气了。”呜呼！淑兰写此诗十年后，也上吊死了，可哀呀。然而宜媖是因为婆婆而死，淑兰却是为了殉夫，她们俩人有泰山鸿毛的区别啊。

一七、颂不如雅

【原文】

常宁欧永孝序江宾谷之诗曰：“《三百篇》，《颂》不如《雅》，《雅》不如《风》。何也？《雅》、《颂》，人籁也，地籁也，多后王、君公、大夫修饰之词。至十五《国风》，则皆劳人、思妇、静女、狡童矢口而成者也。《尚书》曰：‘诗言志。’《史记》曰：‘诗以达意。’若《国风》者，真可谓之言志而能达矣。”宾谷自序其诗曰：“予非存予之诗也，譬之面然，予虽不能如城北徐公之面美，然予宁无面乎？何必作窥观焉？”

【译文】

常宁欧永孝为江宾谷的诗作序说：“在《三百篇》中，《颂》不如《雅》，《雅》不如《风》。为什么这么说呢？《雅》、《颂》属于人和地发出的声音，大多为后王、君公、大夫矫揉造作、歌功颂德之词。而十五《国风》都是劳动人民、思亲妇人、娴静女子、聪明可爱的牧童脱口而出写成的。《尚书》说：‘诗是言志的。’《史记》说：‘诗是表达思想的。’像《国风》这样的诗，真正可以说得上是既言志且达意的。”宾谷为自己的诗作序说：“我并不是想保存我的诗，就好比脸面一样，我虽然没有城北徐公的相貌漂亮，然而我就不能见人了吗？何必暗中希求呢？”

一八、许太夫人诗

【原文】

比来闺秀能诗者，以许太夫人为第一。其长嗣佩璜，与余同征鸿博。读太夫人《绿净轩自寿》云："自分青裙终老妇，滥叨紫绋[①]拜乡君。"《元旦》云："剩有湿薪同爆竹，也将红纸写宜春。"《喜雨》云："愆期休割乖龙耳，破块粗安野老心。不独清凉宜翠簟[②]，可知点滴尽黄金。"皆佳句也。夫人为徐清献公季女，名德音，字淑则。王太仓相公掞出清献之门，其视学浙江也，遣人告墓。夫人有句云："鱼菽荐羹惟弱女，松楸酹酒[③]属门人。"

【注释】

①绋(fú)：牵引棺柩的绳子，同"绋"。

②翠簟(diàn)：竹席。

③松楸：松树和楸树，是墓地上常种的树，因此指代墓地。酹(lèi)酒：用酒洒地而祭。

【译文】

近来女子能写诗的，以许太夫人为第一，她的长子佩璜，和我一同征博学鸿词科。读太夫人的《绿净轩自寿》，上面写道："我明白自己是应该穿着青裙的老妇人，却反复念叨要用紫绳牵引棺柩回归故里见乡亲。"《元旦》中写道："剩下些湿柴和爆竹，但也用红纸写些迎春的话。"《喜雨》中说："长期未下雨不要割乖龙儿的耳朵，雨水浸湿了土地略微安慰了农夫的心。这种清凉不仅使竹席凉爽宜人，可知点点滴滴都是黄金。"以上这些都是好的诗句。夫人是徐清献公的三女儿，名德音，字淑则。王太仓相公出自清献门下，他在浙江担任主管教育的官员，派人到恩师的墓前祭告。夫人有诗说："敬献食物的只有弱小的女儿，在墓地用酒洒地而祭的是以前的门生。"

一九、益友情深

【原文】

康熙初，吴兆骞汉槎谪戍宁古塔。其友顾贞观华峰馆于纳兰太傅家，寄吴《金缕曲》云："季子平安否？谅绝塞苦寒难受。廿载包胥曾一诺，盼乌头马角终相救。置此札，兄怀袖。词赋从今须少作，留取心魂相守。归日急翻行戍稿，把空名料理传身后。言不尽，观顿首。"太傅之子成容若见之，泣曰："河梁生别之诗，山阳死友之传，得此而三。此事三千六百日中，我当以身任之。"华峰曰："人寿几何？公子乃以十载为期耶？"太傅闻之，竟为道地，而汉槎生入玉门关矣。顾生名忠者，咏其事云："金兰倘使无良友，关塞终当老健儿。"一说：华峰之

救吴季子也，太傅方宴客，手臣觥，谓曰："若饮满，为救汉槎。"华峰素不饮，至是一吸而尽。太傅笑曰："余直戏耳！即不饮，余岂遂不救汉槎耶？虽然，何其壮也！"呜呼！公子能文，良朋爱友，太傅怜才：真一时佳话。余常谓：汉槎之《秋笳集》，与陈卧子之《黄门集》，俱能原本七子，而自出精神者。

【译文】

康熙初年，吴兆骞(字汉槎)被贬去戍守宁古塔。他的朋友顾贞观(字华峰)住在纳兰太傅的家中，给吴寄了一首《金缕曲》说："你现在平安吗？我想你戍守边关一定是苦寒难受。二十年前包胥曾答应过，希望乌会南飞、马会回头，总有一天会得救。我寄给你的这封信，希望你把它放在衣袖中。词赋从今以后要少写，把灵魂留在心间。回来时再整理你在边关上的文稿，抛开一生虚名。言不尽意，顾贞观拜上。"太傅的儿子成容若看见了，哭着说："河梁描写生离死别的诗，山阳为死去的朋友所写的传，也不过如此罢了。这样的事十年之中我会亲眼看到。"华峰说："人的寿命有多长？公子却以十年为期限？"太傅听了，竟为汉槎说情，汉槎才能活着进入玉门关。有个叫顾忠的书生歌咏这件事说："在朋友中如果没有良师益友，就只能在边塞当一个老兵了。"有一个说法：华峰欲救吴季子时，太傅宴请宾客，手拿巨大的酒杯说："谁愿救汉槎，就请满饮了这杯酒。"华峰平素不饮酒，这时却一饮而尽。太傅笑着说："我只是开玩笑罢了，如果你不饮酒难道我就不救汉槎吗？话虽这么说，也足见你的诚心！"唉！汉槎能写文章，华峰珍爱朋友，而太傅怜惜人才，一时传为佳话。我常说："汉槎的《秋笳集》与陈卧子的《黄门集》都师宗七子，但精神独到。"

二〇、诗如言

【原文】

诗如言也，口齿不清，拉杂万语，愈多愈厌。口齿清矣，又须言之有味，听之可爱，方妙。若村妇絮谈，武夫作闹，无名贵气，又何藉乎？其言有小涉风趣，而嚅嚅然若人病危，不能多语者，实由才薄。

【译文】

写诗就像说话，倘若口齿不清，啰啰唆唆，说得越多越让人厌烦。倘若口齿清晰，又必须做到说得有意思，听起来让人高兴，这才真正叫好。如果像村妇的絮语，武夫的闹语，没有文雅之气，又有什么内涵可言呢？他们的话可能也有一些趣味，但像病危之人欲言又止，不能畅所欲言，原因是他们的才情实在是薄弱。

二一、论改诗

【原文】

诗不可不改；不可多改。不改，则心浮；多改，则机窒。要像初拓《黄庭》，刚到恰好处。孔子曰：“中庸不可能也。”此境最难。予最爱方扶南《滕王阁》诗云：“阁外青山阁下江，阁中无主自开窗。春风欲拓滕王帖，蝴蝶入帘飞一双。”叹为绝调。后见其子某云：“翁晚年嫌为少作，删去矣。”予大惊，卒不解其故。桐城吴某告予云：“扶南三改《周瑜墓》诗，而愈改愈谬。”其少作云：“大帝君臣同骨肉，小乔夫婿是英雄。”可称工矣。中年改云：“大帝誓师江水绿，小乔卸甲晚妆红。”已觉牵强。晚年又改云：“小乔妆罢胭脂湿，大帝谋成翡翠通。”真乃不成文理！岂非朱子所谓“三则私意起而反惑”哉？扶南与方敏恪公为族兄，敏恪寄信，苦劝其勿改少作，而扶南不从。方知存几句好诗，亦须福分。

【译文】

诗写好后不可不修改，也不可多修改。如果不改，则内心浮躁；多改，就失去了灵性。要像最初拓印的《黄庭》，恰到好处。孔子说：“中

庸是做不到的。"要达到这种境界最为困难。我最喜欢方扶南的《滕王阁》:"阁外有青山,阁下有江水,阁中无人,窗户却自行打开了。春风吹来拓印滕王帖,蝴蝶双双飞了进来。"我感叹这是绝佳的诗作。后来我遇见他儿子,他对我说:"父亲晚年嫌它是年少无知时写成的,于是就把它删了。"我大吃一惊,怎么也不能理解其中的缘故。桐城吴某告诉我说:"扶南曾将《周瑜墓》诗修改了三次,但却越改越差。"他年轻时写的是:"大帝君臣原是一家,小乔的丈夫是个英雄。"这可称得上对仗工整。中年改作:"大帝誓师北伐时正值春天,小乔卸下夫婿的盔甲换上晚妆。"这已让人觉得牵强了。晚年又改诗道:"小乔梳妆完毕胭脂还没干,大帝谋略过人就像纯色的翡翠。"真是不成文理!这难道不是朱子所说的"私下里三次回想反而让人迷惑"了吗?扶南与方敏恪公是本家兄弟,敏恪寄信,苦苦劝他不要修改少年时的诗作,但扶南不听。这才知道要保存几句好诗,也是需要有福分的呀。

二二、奇伟与幽俊

【原文】

诗虽奇伟,而不能揉磨入细,未免粗才。诗虽幽俊,而不能展拓开张,终窘边幅。有作用

人，放之则弥六合，收之则敛方寸，巨刃摩天，金针刺绣，一以贯之者也。诸葛躬耕草庐，忽然统师六出；蕲王中兴首将，竟能跨驴西湖；圣人用行舍藏，可伸可屈，于诗亦可一贯。书家：北海如象，不及右军如龙，亦此意耳。余尝规蒋心余云："子气压九州矣；然能大而不能小，能放而不能敛，能刚而不能柔。"心余折服曰："吾今日始得真师。"其虚心如此。

【译文】

如果一个人诗虽然作得奇伟，却不能深入细致，他也免不了是个粗才。如果诗虽然作得幽俊，却不能拓展张开，他也终将受限制。有发挥作用的人，放开充斥在天地之间，缩回则收敛在方寸之间，这与巨刃直上青天、金针刺绣，是同一个道理。诸葛亮在自己的草庐前亲自耕田，转眼又统帅大军征战四方；蕲王是中兴大将，却能骑驴漫游西湖；圣人用则行、不用则藏，能伸能屈，作诗也是同样的道理。书法家中，北海好像大象，赶不上王右军像龙一样，也是这个意思。我曾经规劝蒋心余说："你作诗的气势可以压倒九州，但是能大却不能小，能放却不能收，能刚却不能柔。"蒋心余心服口服地说："我今天才找到一位好老师。"他是如此虚心。

二三、诗境最宽

【原文】

诗境最宽，有学士大夫读破万卷书，穷老尽气，而不能得其阃奥[①]者。有妇人女子、村氓浅学，偶有一二句，虽李、杜复生，必为低首者。此诗之所以为大也。作诗者必知此二义，而后能求诗于书中，得诗于书外。

【注释】

①阃(kǔn)奥：本指室内深处，后用以比喻学问、事理精微深奥的境界。

【译文】

诗歌的境界最宽广，有人学习士大夫，读破万卷书，直到终老断气，也不能领会其中的奥妙。有些女子、村夫学识浅薄，偶尔吟出一两句诗，就是李白、杜甫转世，也一定会为它低头，自叹不如。这就是诗歌意境博大的表现。作诗的人一定要领会其中的深义，然后才能在书中求诗，在书外得诗。

二四、诗亦有理

【原文】

或云："诗无理语。"予谓不然。《大雅》："于缉熙[①]敬止。""不闻亦式，不谏亦入"：何尝非理语？何等古妙？《文选》："寡欲罕所缺，理来情无存。"唐人："廉岂活名具，高宜近物情。"陈后山《训子》云："勉汝言须记，逢人善即师。"文文山《咏怀》云："疏因随事直，忠故有时愚。"又，宋人："独有玉堂人不寐，六箴将晓献宸旒[②]。"亦皆理语；何尝非诗家上乘？至乃"月窟""天根"等语，便令人闻而生厌矣。

【注释】

①缉(qì)熙：光明。

②宸旒(chén liú)：帝王。

【译文】

有人说："诗歌中不应有说理的文字。"我并不这么认为。《大雅》中有："于缉熙敬止。""不闻达也能做榜样，不劝谏也能做官。"这些何尝不是哲理？这是何等美妙啊！《文选》中有："清心寡欲十分少见，一讲道理真情就无法存在了。"唐朝有人说："清廉岂能徒有其名，清高也应该接近人情。"陈后山的《训子》中说："告勉的话语你一定要记住，遇到友善的人就是你的老师。”文文山《咏怀》说：“陈述因随事情本身而直接，忠诚因而有时显得愚笨。”另外，有宋朝人说：“独自在玉堂中睡不着觉，天亮时写好六封信献给皇上。”这些也都是理语，何尝不是诗中的上等？至于“月窟”、“天根”等语，便令人一听就生厌了。

二五、毋效古诗

【原文】

沈归愚选《明诗别裁》，有刘永锡《行路难》一首，云：“云漫漫兮白日寒，天荆地棘行路难。”批云：“只此数字，抵人千百。”予不觉大笑。“风萧萧兮白日寒”是《国策》语，“行路难”三字是题目。此人所作，只“天荆地棘”四字而已。以此为佳，全无意义。须知《三百篇》如“采采芣苢”、“薄言采之”之类，均非后人所当效法。圣人存之，采南国之风，尊文王之化；非如后人选读本，教人摹仿也。今人附会圣经，极力赞叹。章蘅斋戏仿云：“点点蜡烛，薄言点之。点点蜡烛，薄言剪之。”注云：“剪，剪去其煤也。”闻者绝倒。余尝疑孔子删诗之说，本属附会。今不见于《三百篇》中，而见于他书者，如《左氏》之“翘翘车乘，招我以弓”，“虽有姬姜，无弃憔悴”；《表记》之“昔吾有先正，其言明且清”；古诗之“雨无其极，伤我稼穑”之类，皆无愧于《三百

篇》：而何以全删？要知圣人述而不作，《三百篇》者，鲁国方策（也作方册，典册，典籍）旧存之诗，圣人正之，使《雅》、《颂》各得其所而已，非删之也。后儒王鲁斋欲删《国风》淫词五十章，陈少南欲删《鲁颂》：何迂妄乃尔！

【译文】

沈归愚编选《明诗别裁》，选有刘永锡《行路难》一首，说："云漫漫兮白日寒，天荆地棘行路难。"选者还批注说："只这么几个字，抵得上别人千百个字。"我不觉大笑。"风萧萧兮白日寒"是《国策》中的话，"行路难"三个字是题目，而这人所作的只有"天荆地棘"四个字罢了。若认为这句诗是佳句，完全没有意义。我们应该知道《三百篇》中如"采采芣苢"、"薄言采之"之类的句子，都不是后人应当模仿的。孔子所保存下来的，是采集于南国的风气，尊崇文王的教化，不像后人的选读本，是教人模仿的。现今的人附会孔子的经典，受到极力赞叹。章菔斋开玩笑似的模仿说："点点蜡烛，薄言点之。点点蜡烛，薄言剪之。"有人作注说："剪，就是剪去蜡烛的烟尘。"听的人都叫好。我曾经怀疑，孔子删诗的说法都是附会出来的。现在有些诗句在《三百篇》中没看到，却在其他书中出现了，如《左氏》的"翘翘车乘，招我以弓"，"虽有姬姜，无弃憔悴"，《表记》中的"昔吾有先正，其言明且清"，《古诗》中的"雨无其极，伤我稼穑"之类，都有保存到《三百篇》中的价值，但为什么全部被删去了呢？要知道孔子向来只管说不管写，《三百篇》是鲁国典籍中保存的诗，孔子校正了它，使得《雅》、《颂》各得其所罢了，并不是删减呀。后来的儒生王鲁斋想删减《国风》中的淫词五十章，陈少南欲删减《鲁颂》，他们这是何等的迂腐而又胆大妄为呀！

二六、诗之用典

【原文】

宋人好附会名重之人，称韩文杜诗，无一字没来历。不知此二人之所以独绝千古者，转妙在没来历。元微之称少陵云："怜渠直道当时事，不着心源傍古人。"昌黎云："惟古于词必己出，降而不能乃剽贼。"今就二人所用之典，证二人生平所读之书，颇不为多，班班可考，亦从不自注此句出何书，用何典。昌黎尤好生造字句，正难其自我作古，吐词为经，他人学之，便觉不妥耳。

【译文】

宋代人好附会名气大的人，认为韩愈的文章、杜甫的诗歌没有一个字无来历，却不知道这二人之所以独绝千古，正妙在没来历。元微之称赞杜甫说："喜欢他直接选用当时的俚词俗语作诗，不刻意去模仿古人。"韩愈说："惟有古人作词必定是自己所作，即便写得不好也不剽窃别人的。"现在看二人所用的典故，可以知道二人生平所读的书并不是很多，这些统统都可以考证。他们也从不注明自己的哪句诗出自什么书，用什么样的典故。韩愈特别喜好生造字句，特别难得的是他自己写的诗句成为经典，别人学这些，反而不妥。

卷四

二七、身份与心胸

【原文】

凡作诗者，各有身份，亦各有心胸。毕秋帆中丞家漪香夫人有《青门柳枝词》云：“留得六宫眉黛好，高楼付与晓妆人。”是闺阁语。中丞和云：“莫向离亭争折取，浓阴留覆往来人。”是大臣语。严冬友侍读和云：“五里东风三里雪，一齐排着等离人。”是词客语。夫人又有句云：“天涯半是伤春客，飘泊烦他青眼看。”亦有慈云护物之意。张少仪观察[1]和云：“不须看到婆娑日，已觉伤心似汉南。”则是名场耆旧语矣。

【注释】

①观察：官名，清代对道员的尊称。

【译文】

大凡作诗的人，有各自的身份，也各有自己的想法。毕秋帆中丞家的漪香夫人写有《青门柳枝词》说:“留得六宫画眉的好颜料,爬上高楼交给早上梳妆的人。”这是闺中女子的话。中丞和诗说:“不要在离别亭上争相折取柳枝,浓密的树荫留给过往的行人。”这是大臣的语言。侍读的严冬友和诗说:“五里东风三里雪,都在一齐等待即将离别的人。”这是词客的语言。夫人于是又说了一句:“天涯多半是感伤春天的人,漂泊之中连对他人给予的器重都感到厌烦。”这里也有慈云护物的意思。张少仪观察和诗说:“不用看到树影婆娑的日子,已经感觉到和汉南一样伤心了。”这却道出了名利场中常见的现象啊。

二八、智救故人之子

【原文】

恽南田寿平之父逊庵,遭国变,父子相失,寿平卖杭州富商某为奴。其故人谛晖和尚在灵隐,坐方丈,苦无救策。会二月十九日,观音生辰,天竺烧香者,过灵隐寺必拜方丈。谛晖道行高,贵官男女来膜拜者,以万数,从无答礼。富商夫人从苍头婢仆数十人,来拜谛晖。谛晖探知欣而纤者,恽氏儿也,矍然起,跪儿前,膜拜不止,曰:“罪过!罪过!”夫人惊问其故。曰:“此地藏王菩萨也。托生人间,访人善恶。夫人奴畜之,无礼已甚;闻又鞭扑之,从此罪孽深重,奈何!”夫人惶急归告某商。次早,某商来,长跪不起,求开一线佛门之路。谛晖曰:“非特公有罪，僧亦有罪。地藏王来寺，而僧不知迎，僧罪大矣！请以香花清水，供养地藏王入寺，缓缓为公夫妇忏悔，并为僧自己忏悔。”某商大喜，布施百万，以儿付谛晖。谛晖教之读书、学画，一时声名大起。寿平佳句，如：“蝉移无定响，星过有余光。”“送迎人自老，新旧岁无痕。”“只为花阴贪坐久，不须归去更熏衣。”皆清绝也。《十四夜望月》云：“平开图画含千岭，尽扫星河占一天。”真乃自喻其笔墨之高矣。其时，石揆僧与谛晖齐名。石揆有弟子沈近思，后官总宪。人问谛晖：“孰优？”曰：“近思讲理学，不出周、程、张、朱范围；寿平作画，能脱文、沈、唐、仇窠臼，似恽优矣。”

【译文】

恽南田（字寿平）的父亲逊庵，遭遇国变，父子失散，寿平被卖到杭州某富商家为奴。他父亲的故人谛晖和尚在灵隐寺做方丈，苦于没有办法救他。正好二月十九日是观音的生辰，去天竺烧香的人，经过灵隐寺必定要拜会方丈。谛晖道行高深，达官贵富男男女女前来膜拜的，数以万计，他从来没有答礼。当富商夫人带着年轻婢仆数十人来拜谛晖时，谛晖探知其中漂亮而高瘦的那个是恽氏的儿子，就突然站起来，跪在他面前，膜拜不停，说：“罪过，罪过！”夫人惊奇地问谛晖原因。他说：“这是地藏王菩萨。托生在人间，探访人间的善恶。夫人把他当作奴仆使唤，已经非常无礼了；我听说您还鞭打他，所犯的罪孽深重，怎么办？”夫人惊慌失措，急忙赶回去告诉商人。第二天一早，商人来了，长跪不起，祈求能指引一线佛门之路。谛晖说："这不仅是你的罪过，我也有罪过。地藏王来到本寺，但是我不知道迎接，我的罪过太大了！请用香花清水，供养地藏王入寺，慢慢为您夫妇二人忏悔，并为我自己忏悔。"商人大喜，布施百万钱财，把寿平交给谛晖。谛晖教他读书学画，一时间声名大起。寿平有好诗，如："蝉移无定响，星过有余光。""送迎人自老，新旧岁无痕。""只为花阴贪坐久，不须归去更熏衣。"都清新绝妙。《十四夜望月》有："平开图画含千岭，尽扫星河占一天。"这是自己比喻自己的画技高超。当时，石揆僧与谛晖齐名。石有弟子叫沈近思，后来官至总宪。有人问谛晖："此二人谁的才学更高？"他说："近思擅长理学，不出周、程、张、朱范围；寿平作画，能脱离开文、沈、唐、仇的套路，好像是恽寿平更优秀吧。"

二九、取其精华，吐其糟粕

【原文】

题古迹能翻陈出新最妙。河南邯郸壁上或题云："四十年中公与侯，虽然是梦也风流。我今落魄邯郸道，要替先生借枕头。"严子陵钓台或题云："一着羊裘便有心，虚名传诵到如今。当时若着蓑衣去，烟水茫茫何处寻？"凡事不能无弊，学诗亦然。学汉、魏《文选》者，其弊常流于假；学李、杜、韩、苏者，其弊常失于粗；学王、孟、韦、柳者，其弊常流于弱；学元、白、放翁者，其弊常失于浅；学温李、冬郎者，其弊常失于纤。人能取诸家之精华，而吐其糟粕，则诸弊尽捐。大概杜、韩以学力胜，学之，刻鹄不成，犹类鹜也。太白、东坡以天分胜，学之，画虎不成，反类狗也。佛云："学我者死。"无佛之聪明而学佛，自然死矣。

【译文】

在古迹题诗能翻陈出新是最妙的。河南邯郸壁上有人题诗说："四十年中公与侯，虽然是梦也风流。我今落魄邯郸道，要替先生借枕头。"严子陵钓台有人题诗："一着羊裘便有心，虚名传诵到如今。当时若着蓑衣去，烟水茫茫何处寻？"凡事不会没有弊端，学诗也是这样。学汉、魏《文选》的，其弊常流于太假；学李白、杜甫、韩愈、苏轼的，他的弊端常失于太粗；学王维、孟郊、韦庄、柳永的，其弊常流于太弱；学元稹、白居易、陆游的，其弊常失于太肤浅；学温庭筠、李商隐、韩偓（"冬郎"是其小名）的，其弊常失于太细。若能汲取前辈诸家的精华，而去掉他们的糟粕，那么什么弊端就都没有了。大概杜甫、韩愈靠自身学问渊博来取胜，一味学他们，成不了鸿鹄，反成了秃鹫。太白、东坡以

天分取胜，一味学他们，画虎不成，反像狗。佛家有名话："学我者死。"没有佛的聪慧而学佛法，自然就学死了。

三〇、诗文贵曲

【原文】

凡作人贵直，而作诗文贵曲。孔子曰："情欲信，词欲巧。"孟子曰："智譬则巧，圣譬则力。"巧，即曲之谓也。崔念陵诗云："有磨皆好事，无曲不文星。"洵[①]知言哉！

或问："诗如何而后可谓之曲？"余曰："古诗之曲者，不胜数矣；即如近人王仔园《访友》云：'乱鸟栖定夜三更，楼上银灯一点明。记得到门还不扣，花阴悄听读书声。'此曲也。若到门便扣，则直矣。方蒙章《访友》云：'轻舟一路绕烟霞，更爱山前满涧花。不为寻君也留住，那知花里即君家。'此曲也。若知是君家，便直矣。宋人《咏梅》云：'绿杨解语应相笑，漏泄春光恰是谁。'《咏红梅》云：'牧童睡起朦胧眼，错认桃林欲放牛。'咏梅而想到杨柳之心，牧童之眼，此曲也；若专咏梅花，便直矣。"

【注释】

①洵：确实，诚然。

【译文】

大凡为人贵在正直，而作诗文贵在曲婉。孔子说："抒怀要真诚，作词要巧妙。"孟子说："智慧多则生巧妙，圣理熟则有力量。"巧，就是要说得曲折委婉。崔念陵有诗说："有磨难都是好事，没有曲折不是文曲星。"可以说真正懂得了其中的道理啊！

有人问："诗要怎么写才可称得上是曲折呢？"我说："古代曲婉的诗不计其数。就拿近代人王仔园的《访友》诗来说，它是这么说的：'半夜三更各种鸟儿已在树上歇息，楼上却还有一盏灯在发着光。记得到了门口也不敲门，在花荫下悄悄听那读书声。'这就是曲折委婉。如果一到门口就敲，就太直了。方蒙章的《访友》说：'小船一路上烟雾缭绕，但我喜欢山前那一涧的鲜花。就算不是来找你也要住下了，哪知道你的家就在这花丛中。'这就是曲折委婉。如果知道是朋友家，就太直白了。宋朝人写有《咏梅》诗说：'碧绿的杨柳若理解我应当朝我会心地笑，将春光外泄的到底是谁。'《咏红梅》说：'牧童刚刚起床还睡眼蒙眬，误把梅花林当成了桃花林，还准备出去放牛。'咏梅却想到了杨柳的心思、牧童的睡眼，这都是曲折委婉。如果专门吟咏梅花，便太直白了。"

三一、诗不可有乡野气

【原文】

诗虽贵淡雅，亦不可有乡野气，何也？古之应、刘、鲍、谢、李、杜、韩、苏，皆有官职，非村野之人。盖士君子读破万卷，又必须登庙堂，览山川，结交海内名流，然后气局见解，自然阔大；良友琢磨，自然精进。否则，鸟啼虫吟，沾沾自喜，虽有佳处，而边幅固已狭矣。人有乡党自好之士，诗亦有乡党自好之诗。桓宽《盐铁论》曰："鄙儒不如都士。"信矣。

【译文】

诗虽然以淡雅为贵，但也不可以有乡野气息。为什么？古时的应、刘、鲍、谢、李、杜、韩、苏，都有官职，不是乡村野外的俗人。大概士人君子读破万卷书，又必须去登临庙宇高堂，游览山川河流，结交海内名流，然后个人的气质和见解自然开阔；好朋友互相琢磨诗艺，自然诗就精进。否则，鸟叫虫鸣，沾沾自喜，虽然有好的地方，但视野一开始就已经很狭窄了。人有交好的朋友在乡党时，诗也有关于乡党交好的诗。桓宽《盐铁论》说："乡里的儒生不如国都的士人。"这是可信的。

三二、诗之厚薄

【原文】

今人论诗，动言贵厚而贱薄，此亦耳食之言。不知宜厚宜薄，惟以妙为主。以两物论：狐貉贵厚，鲛绡贵薄。以一物论：刀背贵厚，刀锋贵薄。安见厚者定贵？薄者定贱耶？古人之诗，少陵似厚，太白似薄；义山似厚，飞卿似薄：俱为名家。犹之论交，谓深人难交，不知浅人亦正难交。

【译文】

现在的人评论诗歌，动不动就以厚重的诗为贵，以单薄的诗为贱，这是轻信他人的话。他们不知道诗歌宜厚重也宜单薄，只以恰到好处为准。用两种事物来说：狐狸皮做的大衣以厚实为珍贵，鲨鱼皮纺的丝以轻薄为贵。用一物来说：刀背以厚为贵，刀锋以薄为贵。何以见得厚的就一定珍贵，薄的就一定低贱呢？古人写的诗，杜甫似乎厚重，李白似乎单薄；李商隐似乎厚重，温庭筠似乎单薄。但是他们都是名家。好比论人的交情，说高深莫测的人难以交往，却不知道低贱浅薄的人也恰恰难以交往。

三三、作诗与通经

【原文】

陆陆堂、诸襄七、汪韩门三太史，经学渊深，而诗多涩闷，所谓学人之诗，读之令人不欢。或诵诸诗："秋草驯龙种，春罗狎雉媒。""九秋易洒登高泪，百战重经广武场。"差为可诵，他作不能称是。相传康熙间，京师三前辈主持风雅，士多趋其门。王阮亭多誉，汪钝翁多毁，刘公戬持平。方望溪先生以诗投汪，汪斥之。次以诗投王，王亦不誉。乃投刘，刘笑曰："人各有性之所近，子以后专作文不作诗可也。"方以故终身不作诗。近代深经学而能诗者，其郑玑尺、惠红豆、陈见复三先生乎。

【译文】

陆陆堂、诸襄七、汪韩门三位太史，拥有渊博的经学知识，但他们所作的诗大都艰深晦涩，这类学者的诗，读来令人不欢畅。有人读诸襄七的诗："秋天的野草驯养了龙种，春天草木茂盛的原野给山鸡当上了大媒。""在秋天登高容易洒下泪水，身经百战后再次经过广武场。"这些勉强还可以读，其他作品都不行。相传康熙年间，京都的这三位前辈主持风雅，很多士人登门拜访。王士祯受到许多赞誉，汪钝翁受到不少诋毁，刘公戬毁誉参半。方望溪先生将诗投给汪太史，汪斥责了他，他又投给王士祯，王也认为不好，于是投给刘公戬，刘笑着说："人与人都有性情接近的地方，你以后可以只写文不写诗。"方望溪因此终生不写诗。近代熟悉经学而又能写诗的，大约只有郑玑尺、惠红豆、陈见复三位先生吧。

三四、明七子与王阮亭

【原文】

或问："明七子摹仿唐人，王阮亭亦摹仿唐人，何以人爱阮亭者多，爱七子者少？"余告之曰:"七子击鼓鸣钲,专唱宫商大调,易生人厌。阮亭善为角徵之声,吹竹弹丝,易入人耳。然七子如李崆峒,虽无性情,尚有气魄。阮亭于气魄、性情,俱有所短:此其所以能取悦中人,而不能牢笼上智也。"

【译文】

有人问:"明代七子模仿唐朝人,王士祯也模仿唐朝人,为何喜爱王士祯的人多,而喜爱七子的人少呢?"我告诉他说:"七子写诗像敲鼓打钲,专唱宫商大调,容易使人生厌,阮亭擅长用角徵的音阶,好像吹竹弹丝,容易入耳。但是七子中像李崆峒,虽然没有性情,还是有气魄的。王士祯在气魄和性情上都有不足的地方。这是他之所以能够取悦一般人,而不能感动那些有大学问的人的原因。"

三五、论《声调谱》

【原文】

近有《声调谱》之传,以为得自阮亭,作七古者,奉为秘本。余览之,不觉失笑。夫诗为天地元音,有定而无定,到恰好处,自成音节,此中微妙,口不能言。试观《国风》、《雅》、《颂》、《离骚》、《乐府》,各有声调,无谱可填。杜甫、王维七古中,平仄均调,竟有如七律者;韩文公七字皆平,七字皆仄;阮亭不能以四仄三平之例缚之也。倘必照曲谱排填，则四始六义之风扫地矣。此阮亭之七古，所以如杞国伯姬，不敢挪移半步。

【译文】

近来流传《声调谱》，认为是从王士祯那里传下来的，写七古诗的人将之奉为秘本。我看后不觉失笑。诗是天地发出来的声音，有没有定数，要看是不是恰到好处。如恰到好处，音节自然形成，这其中的微妙之处，是不能用嘴巴说出来的。试看《国风》、《雅》、《颂》、《离骚》、《乐府》，都有各自的声调，但无曲谱可填。杜甫、王维的七古诗中，平仄均匀调和，就像是七律诗似的；韩愈的诗有时七字都是平声，有时七字都是仄声；王士祯的诗却不能用四字仄三字平的惯例来约束的。假如一定按照曲谱排填，那么四始六义的风格扫地了。此是王士祯的七古诗，所以像杞国的伯姬，不敢往别处挪动半步。

三六、诗的悟性

【原文】

诗虽小技，然必童而习之，入手先从汉、魏、六朝，下至三唐、两宋，自然源流各得，脉络分明。今之士大夫，已竭精神于时文八股矣；宦成后，慕诗名而强为之，又慕大家之名而狭取之。于是所读者，在宋非苏即黄，在唐非韩则杜，此外付之不观。亦知此四家者，岂浅学

之人所能袭取哉？于是专得皮毛，自夸高格，终身由之，而不知其道。《书》曰："德无常师，主善为师。"子贡曰："夫子焉不学？而亦何常师之有？"此作诗之要也。陶篁村曰："先生之言固然，然亦视其人之天分耳。与诗近者，虽中年后，可以名家；与诗远者，虽童而习之，无益也。磨铁可以成针，磨砖不可以成针。"

【译文】

写诗虽然是雕虫小技，但是必须从孩童时候开始学习。从汉、魏、六朝开始着手，下到三唐、两宋，自然能掌握各派的源流，且脉络分明。现今的士大夫，已把所有的精力放在时下流行的八股文上了，当官之后，羡慕诗名而勉强去写，又钦慕大家的名气而直接借取。于是，人们所读诗文，宋诗不是苏轼的就是黄庭坚的，唐诗不是韩愈的就是杜甫的，除此之外再不看其他人的诗。我们也知道，这四人的诗岂是粗浅学习之人所能学得来的？他们只懂得了皮毛就自夸风格很高，终生引以为自豪，而不懂得作诗的深刻道理。《书》上说："德行上没有固定的老师，只应该主要把善当作老师。"子贡说过："为何不向老师学习？然而哪里又有固定的老师呢？"这也是作诗的关键所在。陶元藻说："先生所说固然有道理，然而也要依各人的天分而定。对诗有悟性的人，虽到中年之后才学，也可以成为名家；和诗缘分浅的人，虽然从孩童时开始学起，也没有益处。磨铁可以成针，磨砖却不可以成针。"

三七、一字之师

【原文】

诗得一字之师，如红炉点雪，乐不可言。余祝尹文端公寿云：“休夸与佛同生日，转恐恩荣佛尚差。”公嫌“恩”字与佛不切，应改“光”字。《咏落花》云：“无言独自下空山。”邱浩亭云：“空山是落叶，非落花也；应改‘春’字。”《送黄宫保巡边》云：“秋色玉门凉。”蒋心余云：“‘门’字不响，应改‘关’字。”《赠乐清张令》云：“我惭灵运称山贼。”刘霞裳云：“‘称’字不亮，应改‘呼’字。”凡此类，余从谏如流，不待其词之毕也。浩亭诗学极深，惜未得其遗稿。

【译文】

作诗时如能碰到一字之师，便像红炉点雪，有说不出来的快乐。我为尹文端公祝寿时写过“休夸与佛同生日，转恐恩荣佛尚差”。尹公嫌“恩”字与佛不切近，应该改为“光”字。《咏落花》里有：“无言独自下空山。”邱浩亭说：“空山里有落叶，而不是落花，应改为‘春’字。”《送黄宫保巡边》中有：“秋色玉门凉。”蒋心余说：“‘门’字不气派，应改为‘关’字。”《赠乐清张令》中写道：“我惭灵运称山贼。”刘霞裳说：“‘称’字不响亮，应改为‘呼’字。”大凡这种事，我从谏如流。浩亭诗学造诣极深，可惜没有得到他的遗稿。

三八、自来与力构

【原文】

萧子显自称："凡有著作，特寡思功；须其自来，不以力构。"此即陆放翁所谓"文章本天成，妙手偶得之"也。薛道衡登吟榻构思，闻人声则怒；陈后山作诗，家人为之逐去猫犬，婴儿都寄别家。此即少陵所谓"语不惊人死不休"也。二者不可偏废。盖诗有从天籁来者，有从人巧得者，不可执一以求。

【译文】

萧子显自称："凡是我的著作，都很少花心思；必须等它们自己找上门来，我从不花力气去构思。"这就是陆游所说的"文章本天成，妙手偶得之"啊。薛道衡在床上构思，听到人发出声响就生气；陈后山作诗时，家人替他把猫狗赶走，小孩都寄养到别人家里。这就是杜甫所说的"语不惊人死不休"啊。这两种作诗的境界都不可偏废，因为诗有自然产生的，有从人的巧妙构思中得来的，不可固执地只从其中一种方法中求得。

三九、诗文用字

【原文】

诗文用字，有意同而字面整碎不同，死活不同者，不可不知。杨文公撰《宋主与契丹书》，有“邻壤交欢”四字。真宗用笔旁抹批云：“鼠壤？粪壤？”杨公改“邻壤”为“邻境”，真宗乃悦。此改碎为整也。范文正公作《子陵祠堂记》，初云：“先生之德，山高水长。”旋改“德”字为“风”字，此改死为活也。《荀子》曰：“文而不采。”《乐记》曰：“声成文谓之音。”今之诗流，知之者鲜矣！

【译文】

作诗写文章时的用字，有的意思相同，但是在不同的语言环境中，有完整和零碎、呆板与灵活的区别，对于这种情况不可不知。杨亿撰写《宋主与契丹书》，里面有“邻壤交欢”四个字。宋真宗用笔在旁边批注说：“鼠壤？粪壤？”杨公改“邻壤”为“邻境”，真宗才高兴。这是改碎为整的例子。范文正公作《子陵祠堂记》，开始是这么说的：“先生之德，山高水长。”后来将“德”字改为“风”字，这是将死改活了。《荀子》上说：“文而不采。”《乐记》上说：“声成文谓之音。”现今的诗歌流派，知道这些的人很少了！

卷五

四〇、得随园记

【原文】

戊辰秋，余初得隋织造园，改为随园。王孟亭太守、商宝意、陶西圃二太史，置酒相贺，各有诗见赠。西圃云："荒园得主名仍旧，平野添楼树尽环。作吏如何耽此事，买山真不乞人钱。"宝意云："过江不愧真名士，退院其如未老僧。领取十年卿相后，幅巾野服始相应。"盖其时，余年才过三十故也。惟孟亭诗未录，只记"万木槎丫[①]绿到檐"一句而已。嗟乎！余得随园之次年，即乞病居之。四十年来，园之增荣饰观，迥非从前光景，而三人者，亦多化去久矣！

【注释】

①槎丫(chá yá)：形容树枝歧出不齐的样子。

【译文】

戊辰年秋天，我刚得到隋朝时的织造园，改名为随园。王孟亭太守及商宝意、陶西圃二位太史，设宴向我祝贺，并各自作诗赠我。西圃说："荒芜多年的园子得到新主人仍保留原名，平野中增添了四周环绕着树木的楼房。当官的如何看待这件事，买山不用向别人讨钱。"宝意说："南北闯荡时不愧为真正的名士，退隐院中他像未老的僧人。做了多年的朝官后，戴着头巾穿着便服才适合。"大概当时我才年过三十的缘故。只有孟亭的诗没收录，只记得"无数参差不齐的绿色树木都长到了屋檐下"这一句罢了。唉！我得到随园的第二年，就患病回来闲住。四十年来，园子里已增添了不少景观，与从前的样子迥然不同了，而这三人，也大都去世多年了。

四一、身故十年诗传世

【原文】

曾南村好吟诗，作山西平定州刺史，仿白香山将诗集分置圣善东林故事，乃将《上党咏古》诸作，命门人李珍聘书藏文昌祠中。身故十余年，陶悔轩来牧此州，过祠拈香，见此藏本，既爱诗之清妙，而又自怜仝[①]为山左人，乃序而梓之，并附己作于后。曾《过盘石关》云："盘石关前石路微，离离黄叶小村稀。斜阳忽送奇峰影，千叠层云屋上飞。"陶《咏遗诗轩》云："一代文章擅逸才，开轩吟罢兴悠哉。官闲且喜能医俗，为与诗人坐卧来。”陶又《咏嘉山书院》云：“新开艺苑育群英，文学风传古艾城。借得公余无俗累，携朋来听读书声。”

【注释】

①仝(tóng)：通“同”。

【译文】

曾南村喜欢吟咏诗歌，他做山西平定州刺史时，仿效白居易将诗集分别放在圣善东林的故事，命令门人李珍聘将《上党咏古》等诗作抄写好藏在文昌祠中。他去世十多年后，陶悔轩做该州的长官，经过文昌祠便进来烧香，看见了这个藏本，既喜爱诗的清新妙婉，又怜他与自己同为山左(旧时山东省的别称)人，就亲自作序并出钱印了它，并且把自己的诗作附在书后。曾南村的《过盘石关》说：“盘石关前边的石路十分狭窄，稀疏的村庄掩映在纷繁的黄叶中。夕阳忽然映照出奇异

山峰的影子，千层的云彩在屋顶上翻飞。”陶悔轩写的《咏遗诗轩》说：“一代擅长写诗的杰出人才，推开窗户作完诗后仍然悠闲自得。高兴的是做官之余能够医疗俗气，只因为能与诗人坐卧交谈。”陶还有一首《咏嘉山书院》说：“新开办的学校培育众多英才，文学之风在古艾城流传。公事之余没有世俗的牵累，带来朋友在这儿听读书声。”

四二、行医与作诗

【原文】

吴门名医薛雪，自号一瓢，性孤傲，公卿延之不肯往；而予有疾，则不招自至。乙亥春，余在苏州，庖人王小余病疫不起，将掩棺。而君来，天已晚，烧烛照之，笑曰：“死矣！然吾好与疫鬼战，恐得胜亦未可知。”出药一丸，捣石菖蒲汁调和，命舆夫有力者，用铁箸锲其齿灌之。小余目闭气绝，喉汩汩然似咽似吐。薛嘱曰：“好遣人视之，鸡鸣时当有声。”已而果然。再服二剂而病起。乙酉冬，余又往苏州，有厨人张庆者，得狂易之疾，认日光为雪，啖少许，肠痛欲裂，诸医不效。薛至，袖手向张脸上下视曰：“此冷痧也，一刮而愈，不必诊脉。”如其言，身现黑瘢如掌大，亦即霍然[①]。余奇赏之。先生曰：“我之医，即君之诗，纯以神行；所谓人居屋中，我来天外是也。”然先生诗亦正不凡，如《夜

别汪山樵》云:“客中怜客去,烧烛送归桡。把手各无语,寒江正落潮。异乡难跋涉,旧业有渔樵。切莫依人惯,家贫子尚娇。”《嘲陶令》云:“又向门前栽五柳,风来依旧折腰枝。”《咏汉高》云:“恰笑手提三尺剑,斩蛇容易割鸡难。”《偶成》云:“窗添墨谱摇新竹,几印连环按覆盂。”

【注释】

①霍然:迅速。

【译文】

吴门名医薛雪,自号一瓢,性情孤僻傲慢,公卿请他都不肯去,而我有病他却不请自来。乙亥年春,我在苏州,厨子王小余因病卧床不起,奄奄一息。然而薛雪来了,天色已晚,他点燃蜡烛探看王小余,笑着说:“人已经死了!然而我喜欢与病鬼斗,恐怕取得胜利也未可知。”他拿出一粒药丸,捣碎后和菖蒲汁调和,叫有劲的车夫,用铁筷子撬开他的牙齿灌进去,小余眼睛合上了,气息断绝了,喉咙里发出汩汩的声音,似乎在吞又似乎在吐。薛嘱咐说:“好好派人看着他,鸡叫的时候应当可以说话了。”后来果然如此。他又吃了两剂药病就痊愈了。乙酉年冬天,我又去了苏州,有一个叫张庆的厨子得了疯癫病,把太阳光看成了雪,吃一点点东西就肠痛欲裂,请了许多医生都治不好。薛雪来了,他把手藏在袖子里,向张的脸上下打量后说:“这是冷痧,一刮就好了,不需要诊脉。”如他所言,张的身上出现一个像手掌大的黑瘢,刮后就迅速好了。薛先生说:“我行医,就像你作诗,纯粹靠心神来操作,所谓他人住在屋中,我却来到了天外。”然而薛先生的诗也不同凡响。

如《夜别汪山樵》说:“旅途中惋惜你离去,点燃蜡烛送你回去。握手相视默默无语,寒冷的江水正在落潮。他乡路途难走,旧业有打鱼砍柴。切莫习惯于依靠他人,家里贫穷却仍娇惯子女。”《嘲陶令》说:“又在门前栽下五棵柳树,大风吹来仍然吹弯了它们的腰肢。”《咏汉高》说:“可笑手持三尺之剑,斩断毒蛇容易杀鸡却难。”《偶成》说:“窗外有新长的竹子摇动,好像作画似的,在窗纸上印画出许多花纹来。”

四三、诗似人不识

【原文】

宋维藩字瑞屏,落魄扬州,卢雅雨为转运,未知其才,拒而不见。余为代呈《晓行》云:“客程无晏[①]起,破晓跨驴行。残月忽堕水,村鸡初有声。市桥霜渐滑,野店火微明。不少幽居者,高眠梦不惊。”卢喜,赠以行资。苏州浦翔春《晓行》云:“早出弇山口,秋风襆被轻[②]。背人残月落,何处晓鸡声。客久影俱瘦,宵阑气更清。行行远树里,红日自东生。”二人不相识,而二诗相似,且同用“八庚”韵,亦奇。浦更有佳句云:“旧塔未倾流水抱,孤峰欲倒乱云扶。”又,“醉后不知归路晚,玉人扶着上花骢[③]。”

【注释】

①晏:迟,晚。

②弇(yǎn):山名,在今甘肃省。襆(pú):用包袱包裹衣被。
③骢(cōng):毛色青白相杂的马。泛指马。

【译文】

宋维藩,字瑞屏,落魄于扬州,卢雅雨在这里任两淮盐运使,不知他有才,拒不会见他。我替他送《晓行》给卢雅雨看,诗中说:"在旅途中的客人没有晚起床的,天刚亮就骑驴上路。残月忽然映照在水中,村鸡刚开始啼叫。桥上因霜路滑,村野小店的烟火还没烧旺。有不少隐居在此的人,此时正在高枕酣睡。"卢看了大喜,赠给他路费。苏州浦翔春的《晓行》说:"早晨走出弇山口,秋风轻轻吹着我的行李。身后残月渐渐落下,不知哪里响起了鸡叫声。长久客居在外身影瘦弱,夜色已尽空气更加清新。远处一行行树木中,一轮红日从东方升起。"宋维藩与浦翔春互不相识,但两人的诗却相似,并且同样采用了"八庚"韵,这也很神奇。浦还有佳句说:"旧时古塔未倾四周有流水环抱,孤零零的山峰像要倒塌但有白云扶持。"又有:"喝醉酒后不知回家的时间已迟了,美人搀扶我坐上了花马。"

四四、论哭父母诗

【原文】

有某太史以《哭父》诗见示。余规之曰："'哭父'，非诗题也。《礼》：'大功废业。'而况于斩衰乎[①]？古人在丧服中，三年不作诗，何也？诗乃有韵之文，在哀毁时，何暇挥毫拈韵？况父母恩如天地，试问古人可有咏天地者乎？六朝刘昼赋六合[②]，一时有'疥骆驼'之讥。历数汉、唐名家，无哭父诗。非不孝也，非皆生于空桑者也。《三百篇》有《蓼莪》，古序以为刺幽王作。有'陟岵'、'陟屺'，其人之父母生时作。惟晋傅咸、宋文文山有《小祥哭母诗》。母与父似略有间，到小祥哀亦略减；然哭二亲，终不可为训。"

【注释】

①大功：丧服名，五服之一，服丧期九个月。功，指织布的工作。大功的丧服用熟麻布做成，较齐衰为细，较小功为粗。男子为出嫁的姊妹和姑母，为堂兄弟和未嫁的堂姊妹都服大功；女子为丈夫的祖父母、伯叔父母，为自己的兄弟也服大功。斩衰(cuī)：为死者穿的一种丧服。衣服用粗麻布制成，不缝下边，是五种丧服中的最重的一种。

②六合：天地四方。

【译文】

有某位太史拿他写的《哭父》诗给我看，我劝他说：“‘哭父’，这不是诗题。《礼》中说过：‘遇到大功这样的丧事连正常的事业都得放弃’，更何况斩衰这么大的丧事呢？古人在服丧期间，三年不作诗，为什么呢？诗是有韵律的文字，在悲伤时，哪有闲情动笔选韵呢？况且父母的恩情大如天地，请问古人有歌咏天地的吗？六朝的刘昼写《六合赋》，一时被人讥讽为‘疥骆驼’。历数汉、唐的名家，都没有写哭父诗的。不是不孝顺，也不是没有父母之人。《三百篇》中有《蓼莪》，古序中认为是讽刺幽王之作。里面有‘陟岵’、‘陟屺’篇，都是其父母在世时所作。只有晋傅咸、宋文文山写有《小祥哭母诗》。母亲与父亲似乎略微有点不同，至于小祥的悲哀也略微有点削减。然而哭父母双亲的诗，终究不可仿效去写。”

四五、勿借诗卖弄

【原文】

人有满腔书卷，无处张皇，当为考据之学，自成一家。其次，则骈体文，尽可铺排，何必借诗为卖弄？自《三百篇》至今日，凡诗之传者，都是性灵，不关堆垛。惟李义山诗，稍多典故；然皆用才情驱使，不专砌填也。余续司空表圣《诗品》，第三首便曰：“博习”，言诗之必根于学，所谓不从糟粕，安得精英是也。近见作诗者，全仗糟粕，琐碎零星，如剃僧发，如拆袜线，句句加注，是将诗当考据作矣。虑吾说之害之也，故续元遗山《论诗》，末一首云：“天涯有客号冷痴，误把抄书当作诗。抄到钟嵘《诗品》日，该他知道性灵时。”

【译文】

人有满肚子学问，而没有用武之地，应当去做考据，可以自成一家；其次，也可以写骈体文，尽可以大肆铺排，何必借写诗来卖弄呢？从《三百篇》到今天，大凡可以流传下来的诗歌，都是灵感之作，与词语堆砌雕琢无关。只有李商隐的诗作，用典稍微多了些；然而他们都以才情为中心，不专门地填词造句。我续写司空表圣的《诗品》，第三首就是说的“博习”，说的是写诗必须以学问为根本，这就是人们所说的不先从糟粕学起，怎么能得到精英。近来见一些作诗的人，全凭糟粕堆砌，琐碎杂乱，就好像给和尚剃头发一样，又好似拆袜子上的线，句句加注解，这是将诗歌当作考据来做啊。考虑到我说的这种危害，因此续写元遗山的《论诗》，最后一首说：“天边有叫冷痴的人，错误地把抄书当作写诗。抄到钟嵘《诗品》的日子，就应该是他明白性灵的时候了。”

四六、诗的意境

【原文】

元遗山讥秦少游云："有情芍药含春泪，无力蔷薇卧晚枝。拈出昌黎'山石'句，方知渠是女郎诗。"此论大谬。芍药、蔷薇，原近女郎，不近山石；二者不可相提而并论。诗题各有境界，各有宜称。杜少陵诗，光焰万丈，然而"香雾云鬟湿，清辉玉臂寒"，"分飞蛱蝶原相逐，并蒂芙蓉本是双"；韩退之诗，横空盘硬语，然"银烛未销窗送曙，金钗半醉坐添春"，又何尝不是女郎诗耶？《东山》诗："其新孔嘉，其旧如之何？"周公大圣人，亦且善谑。

【译文】

元好问讥笑秦少游说："有情的芍药含着春泪，无力的蔷薇卧着晚枝。拈出韩愈《山石》里的句子，才知道你的诗出自女人之手。"这个观点大错特错。芍药、蔷薇，原本接近女郎，不接近山石，二者不可相提并论，诗题各有各的境界，各有各的宜称。杜少陵的诗，光焰万丈，然而也写有"香雾缭绕着湿湿的黑发，清辉照着玉一样的长臂"、"纷飞的蝴蝶原本互相追逐，并蒂的芙蓉原本成双成对"；韩退之的诗，出口语气很硬，然而也写有"银烛还未燃尽，窗户已透出曙光，美女喝醉酒坐在那里增添了春色"。这些诗句又何尝不像出自女人之手呢？《东山》

诗说："他赞赏新的，对旧的又如何呢？"周公大圣人，也善于开玩笑。

四七、作诗六疾

【原文】

抱韩、杜以凌人，而粗脚笨手者，谓之权门托足。仿王、孟以矜高，而半吞半吐者，谓之贫贱骄人。开口言盛唐及好用古人韵者，谓之木偶演戏。故意走宋人冷径者，谓之乞儿搬家。好叠韵、次韵[①]，刺刺[②]不休者，谓之村婆絮谈。一字一句，自注来历者，谓之古董开店。

【注释】

①叠韵：写诗重用前韵。亦称"次韵"、"和韵"。次韵：和人的词并依照原诗用韵的次序。

②刺刺：多话的样子。

【译文】

利用韩愈、杜甫的名声凌驾在别人之上，自己却粗脚笨手，这叫作依仗权贵门第来走路；模仿王维、孟浩然来显示自己清高，但说话吞吞吐吐的人，是贫困低贱的骄人。张口就说盛唐以及用古人韵的现象，称为木偶演戏。故意走宋朝人冷僻路子的现象，称作乞丐搬家。喜欢叠韵次韵，喋喋不休的，称为村妇唠叨。一字一句，都注明来历的现象，称为开古董店。

四八、古体与近体

【原文】

作古体诗，极迟不过两日，可得佳构；作近体诗，或竟十日不成一首。何也？盖古体地位宽余，可使才气卷轴；而近体之妙，须不着一字，自得风流；天籁不来，人力亦无如何。今人动轻近体，而重古风，盖于此道，未得甘苦者也。叶庶子书山曰："子言固然，然人功未极，则天籁亦无因而至。虽云天籁，亦须从人功求之。"知言哉！

【译文】

作古体诗，最迟不过两日，便可得到好的构思；作近体诗，有人十天都写不成一首，这是什么原因呢？大概是因为古体诗要求宽余，可以使才气发挥，而近体诗的妙处，在于不多用一个字，就自得风流。灵感不来，使尽人力也没有办法。现在的人动辄轻视近体诗而重视古体诗，大概是因为他们还没有体会到其中的甘苦。叶书山说："你所说的虽然有道理，但人们所花功夫没有达到极点，那么灵感也不会无缘无故地来。虽然说写诗靠灵感，但也必须从人力中求得。"这话有道理啊！

四九、诗家各有所宜

【原文】

诗人家数甚多，不可硁硁[①]然域一先生之言，自以为是，而妄薄前人。须知王、孟清幽，岂可施诸边塞？杜、韩排奡[②]，未便播之管弦。沈、宋庄重，到山野则俗。卢仝险怪，登庙堂则野。韦、柳隽逸，不宜长篇。苏、黄瘦硬，短于言情。悱恻芬芳，非温、李、冬郎不可。属词比事，非元、白、梅村不可。古人各成一家，业已[③]传名而去。后人不得不兼综条贯，相题行事。虽才力笔性，各有所宜，未容勉强；然宁藏拙而不为则可，若护其所短，而反讥人之所长，则不可。所谓以宫笑角，以白诋青者，谓之陋儒。范蔚宗云："人识同体之善，而忘异量之美，此大病也。"蒋苕生太史《题随园集》云："古来只此笔数枝，怪哉公以一手持。"余虽不能当[④]此言，而私心窃向往之。

【注释】

①硁硁(kēng)：击石声。形容浅薄固执。

②奡(ào)：矫健。

③业已：已经。

④当：适应，与之相称。

【译文】

诗家派别很多，不可以局限于一家的言论、自以为是，狂妄地鄙薄前人。应该知道，王维、孟浩然的诗清古幽远，怎么可以用于边塞诗？杜甫、韩愈的诗清脆悠扬，但未必就适合用管弦传唱。沈佺期、宋之问的诗庄重典雅，但用到山野就显得俗气。卢仝的诗险峻怪异，进入庙堂就显得粗野。韦庄、柳永的诗隽逸，不适宜写长篇。苏轼、黄庭坚的诗瘦硬，不擅长抒情。缠绵悱恻的意境非温庭筠、李商隐不可。用词来叙事，非元稹、白居易不可。古人各成一家，名声已经传播开来。后来的人不得不兼容综合他们各自的优点，依题目行事。虽然存在才能和风格上的差异，但各有所长，没有必要勉强自己学习他人。宁肯藏拙、不勉强模仿是可以的，假若掩护自己的短处，而讥讽他人的长处，就不行了。所说的以宫韵笑角韵，以白色诋毁青色的人，被称为浅陋的儒士。范蔚宗说："人们认识到同类物体的好处，而忘记了不同事物的美，就是大毛病啊。"蒋苕生太史《题随园集》上说："自古以来，这样的笔都只有几支，奇怪您怎么用一只手就把它们全拿下了。"这句话所说的情况虽然不适合我，但我心里暗暗向往。

五〇、古诗各有祖述①

【原文】

古人门户虽各自标新，亦各有所祖述。如《玉台新咏》、温、李、西昆得力于《风》者也。李、杜排奡，得力于《雅》者也。韩、孟奇崛，得力于《颂》者也。李贺、卢仝之险怪，得力于《离骚》、《天问》、《大招》者也。元、白七古长篇，得力于初唐四子；而四子又得之于庾子山及《孔雀东南飞》诸乐府者也。今人一见文字艰险，便以为文体不正。不知"载鬼一车"，"上帝板板"，已见于《毛诗》《周易》矣。

【注释】

①祖述：效法前人的行为或学说。

【译文】

古时诗人派别虽各自标新立异，但也各自有所继承。如《玉台新咏》、温庭筠、李商隐、西昆诗派，得力于《风》。李白、杜甫诗风矫健，得力于《雅》。韩愈、孟浩然诗风奇崛，得力于《颂》。李贺、卢仝诗风险怪，得力于《离骚》、《天问》、《大招》。元稹、白居易的七古长篇，得力于初唐四杰。而四杰又得力于庾信及《孔雀东南飞》等乐府诗。现在的人一看见文字艰险的诗，就以为文体不正。殊不知"载鬼一车"和"上帝板板”在《毛诗》、《周易》里就可见到了。

五一、诗的朴淡与巧浓

【原文】

诗宜朴不宜巧，然必须大巧之朴；诗宜淡不宜浓，然必须浓后之淡。譬如大贵人，功成宦就，散发解簪，便是名士风流。若少年纨袴[①]，遽为此态，便当笞[②]责。富家雕金琢玉，别有规模[③]；然后竹几藤床，非村夫贫相。

【注释】

①纨袴：纨绔，古代贵族子弟的华美衣着。

②笞：鞭打。

③规模：气度。

【译文】

诗歌应该追求朴实而不是巧妙，然而必须于朴实无华中见大巧妙。诗歌应该淡雅而不应该浓艳，然而必须是浓艳之后显出的淡雅。就好比大富大贵之人，在他建立了功名、做了大官之后，便散开头发、解下簪子，这时显示出的就是名士风流。假若纨绔子弟也作这种姿态，就应当遭到鞭打责备。富贵之家，雕金琢玉，非常气派。若再摆上竹制藤床，显出的就不是村夫的贫穷景象。

五二、评牡丹诗

【原文】

牡丹诗最难出色，唐人“国色朝酣酒，天香夜染衣”之句，不如“嫩畏人看损，娇疑日炙消”之写神也。其他如：“应为价高人不问，恰缘香甚蝶难亲。”别有寄托。“买栽池馆疑无地，看到子孙能几家。”别有感慨。宋人云：“要看一尺春风面。”俗矣！本朝沙斗初云：“艳薄严妆常自重，明明薄醉要人扶。”裴春台云：“一栏并力作春色，百卉甘心奉盛名。”罗江村云：“未必美人多富贵，断无仙子不楼台。”胡稚威云：“非徒冠冕三春色，真使能移一世心。”程鱼门云：“能教北地成香界，不负东风是此花。”此数联，足与古人颉颃[1]。元人《贬牡丹诗》云：“枣花似小能成实，桑叶虽粗解作丝。惟有牡丹如斗大，不成一事又空枝。”晁无咎《并头牡丹》云：“月下故应相伴语，风前各自一般愁。”

【注释】

①颉颃(xié hánɡ):鸟飞上为颉,飞下为颃,引申为不相上下,互相抗衡。

【译文】

牡丹诗最难写得出色,唐人"国色似乎早晨酒醉未醒,天香夜晚沾染了衣裳"的句子,比不上"嫩得怕人看一眼便损坏,娇得怀疑太阳一晒就消失"写得传神。其他如:"因为价高没人过问,就像香得连蝴蝶也难以亲近。"这一句别有一番寄托。"买来栽在池馆中担心没有适合的地方,能看到的子子孙孙又有几代。"这一句别有一番感慨。宋朝人说:"要看一尺春风面。"这一句就太俗了! 本朝的沙斗初说:"美艳浅薄,但经常装扮严整自重,明明没有醉酒却要人搀扶。"裴春台说:"合力展示明媚的春光,百花甘心为它的盛名作出陪衬。"罗江村说:"大多数美人不一定就富贵,从来没有仙子不登上楼台。"胡稚威说:"不只要冠盖三春的景色,真的能使人一世倾心。"程鱼门说:"能教北方也成为香艳的世界,不辜负东风的正是这种花。"这几联,足以和古人相抗衡。元朝人写《贬牡丹诗》说:"枣花虽小但能结果,桑叶虽粗但能转化成丝。只有牡丹开得像斗一般大,不能成一事就凋谢了。"晁无咎《并头牡丹》说:"月光下本应相互作伴谈心,东风吹来各自都有同样的忧愁。"

五三、余好书之癖

【原文】

余少贫不能买书;然好之颇切,每遇书肆,

垂涎翻阅，若价贵不能得，夜辄形诸梦寐。曾作诗曰："塾远愁过市，家贫梦买书。"及作官后，购书万卷，翻不暇读矣。有如少时牙齿坚强，贫不得食；衰年珍羞满前，而齿脱腹果[1]，不能餍饫[2]，为可叹也！偶读东坡《李氏山房藏书记》，甚言少时得书之难，后书多而转无人读：正与此意相同。

【注释】

①腹果：即果腹，吃饱肚子。

②餍饫(yàn yù)：饱食，饱足。

【译文】

我小的时候十分喜欢书，却因家贫而无法买书。每次经过书店，都垂涎翻阅，假如价格太贵买不起，晚上就连做梦都想着它。我曾作过这样的诗："私塾太远所以害怕路过集市，家里贫穷连作梦都想买书。"等做了官之后，买了许多书，反而没有时间读了。这就好比年少时牙齿坚固，但家穷没东西可吃；年老时面前摆满了山珍海味，却牙齿脱落，不能尽兴大吃，实在是可叹啊！偶尔读苏轼的《李氏山房藏书记》，也大

言小时候得书艰难，后来有许多书反而没有人读了，这正和我的情况相同。

五四、庸师妄评真才子

【原文】

某太史掌教金陵，戒其门人曰："诗须学韩、苏大家；一读温、李，便终身入下流矣。"余笑曰："如温、李方是真才，力量还在韩、苏之上。"太史愕然。余曰："韩、苏官皆尚书、侍郎，力足以传其身后之名。温、李皆末僚贱职，无门生故吏为之推挽；公然名传至今，非其力量尚在韩、苏之上乎？且学温、李者，唐有韩偓，宋有刘筠、杨亿，皆忠清鲠亮之人也。一代名臣，如寇莱公、文潞公、赵清献公，皆西昆诗体，专学温、李者也，得谓之下流乎？"

【译文】

某太史在金陵掌教，告诫他的门人说："写诗必须向韩愈、苏轼这样的大家学习，如果读了温庭筠、李商隐的作品，便终生陷入末流了。"我说："像温庭筠、李商隐这样的人才是真才子，才力还在韩愈、苏轼之上。"太史对此十分惊愕。我说："韩愈、苏轼做官都做到了尚书、侍郎，影响力足以使他们身后传名。温庭筠、李商隐都只当过卑微的小官，没有门生及前任官吏为他们推荐，居然名声流传到今天，难道不是因为他们的才力还在韩、苏之上的缘故吗？而且，学习温、李的人，唐朝有韩偓，宋朝有刘筠、杨亿，他们都是忠义正直、高风亮节的人。一代名臣，像寇莱公、文潞公、赵清献公，都是西昆诗体诗人，他们专门学习温、李，怎么能说温、李的诗属于末流呢？”

五五、小说演义不可入诗

【原文】

崔念陵进士，诗才极佳。惜有五古一篇，责关公华容道上放曹操一事。此小说演义语也，何可入诗？何屺瞻作札，有“生瑜生亮”之语，被毛西河诮其无稽；终身惭悔。某孝廉作关庙对联，竟有用“秉烛达旦”者。俚俗乃尔，人可不学耶？

【译文】

崔念陵进士，作诗的才能很好。可惜写有五古诗一篇，是关于责怪关公华容道上放曹操一事的。这是小说演义的题材，怎么可以写入诗歌中呢？何屺瞻作札记，有“生瑜生亮”的话，被毛西河讥笑为无稽之谈，以至终生惭愧后悔。某位孝廉为关公庙作对联，竟然用有“秉烛达旦”的话。俚俗到这种程度，难道人们应该学习吗？

卷六

五六、评王荆公

【原文】

王荆公作文，落笔便古；王荆公论诗，开口便错。何也？文忌平衍，而公天性拗执，故琢句选词，迥不犹人；诗贵温柔，而公性情刻酷，故凿险缒幽，自堕魔障。其平生最得意句云："青山扪虱坐，黄鸟挟书眠。"余以为首句是乞儿向阳，次句是村童逃学。然荆公恰有佳句，如："近无船舫犹闻笛，远有楼台只见灯。"可谓生平杰作矣。

【译文】

王安石写散文，落笔便古朴劲健；王安石评诗，开口便错。为什么这么说呢？文章忌讳平铺直叙、重复啰唆，而王安石天性执拗，因此遣词造句，反复斟酌，与他人明显不同；诗歌贵在温柔敦厚，而他性情刻板固执，因此追求冷僻险峻，自陷其中，走火入魔。他平生最得意的诗句为："幽幽青山，我傍山闲坐，逮捉身上的虱子；黄鸟鸣叫，我挟着书卷，卧地而眠。”我认为首句描写的是乞丐在晒太阳的情景，次句描写的是村童逃学时的情景。然而王安石偏偏也有好诗句，例如，“近旁没有船只，却能听到悠扬的笛声，远处的楼房亭台却看不清，只见星星点点的一片灯。”这可算得上是他一生中最杰出的诗句了。

五七、明七子鹦鹉学舌

【原文】

七律始于盛唐，如国家缔造之初，宫室粗备，故不过树立架子，创建规模；而其中之洞房曲室[①]，网户罘罳[②]，尚未齐备。至中、晚而始备，至宋、元而愈出愈奇。明七子不知此理，空想挟天子以临诸侯：于是空架虽立，而诸妙尽捐。淮南子曰：“鹦鹉能言，而不能得其所以言。”

【注释】

①洞房曲室：深邃曲折的内室。

②网户：关键的门窗。罘罳(fú sī)：官门外的屏风，上刻云气、虫兽，镂空可透视，也作“浮思”、“桴思”。

【译文】

七律从盛唐时开始出现，就像是国家建立初期，宫室粗略具备，所以不过像刚立好了架子，造好了外形，而其中深邃曲折的内室还没有建齐备。到中、晚唐才开始完备，到宋朝、元朝就更加神奇。明七子不知道其中的道理，空想挟天子以令诸侯，于是空架子虽然搭好，但其中的各种妙处全部损失掉了。淮南子说过：“鹦鹉虽然能说话，却不知道自己说的是什么。”

五八、妓女始于何时

【原文】

人问：“妓女始于何时？”余云：“三代以上，民衣食足而礼教明，焉得有妓女？惟春秋时，卫使妇人饮南宫万以酒，醉而缚之。此妇人当是妓女之滥觞。不然，焉有良家女而肯陪人饮酒乎？若管仲之女闾[①]三百，越王使罢女为士缝袵[②]，固其后焉者矣。”戴敬咸进士，过邯郸，见店壁题云：“妖姬从古说丛台，一曲琵琶酒一杯。若使桑麻真蔽野，肯行多露夜深来？”用意深厚，惜忘其姓名。

【注释】

①闾：古代民间基层组织，二十五家为闾。

②袵：衣襟。

【译文】

有人问：“妓女是什么时候开始出现的？”我说：“三皇时期，人民衣食丰足而礼教严明，哪能有妓女？只有在春秋时期，卫国派一女人给南宫万敬酒，等他喝醉后将他绑起来。这女人应当是妓女出现的源头。不然的话，哪有良家妇女肯陪别人喝酒的呢？至于管仲设置女闾三百个，越王让女俘为战士缝衣服，这都是以后的事情。”戴敬咸进士路过邯郸的时候，看见一店题诗说：“妖姬从古说丛台，一曲琵琶酒一杯。若使桑麻真蔽野，肯行多露夜深来。”用意深厚，可惜忘记了作者的姓名。

五九、写景与言情

【原文】

凡作诗，写景易，言情难，何也？景从外来，目之所触，留心便得；情从心出，非有一种芬芳悱恻之怀，便不能哀感顽艳。然亦各人性之所近：杜甫长于言情，太白不能也。永叔长于言情，子瞻不能也。王介甫、曾子固偶作小歌词，读者笑倒，亦天性少情之故。

【译文】

大凡作诗，写景容易，言情困难，这是什么原因呢？风景来自于身外，目光所到之处，只要留心观察就可获取；情是从心灵深处流出，没有一种缠绵悱恻的情怀，就不能写出哀伤婉约的诗。然而这也是每个人的性格所决定的。杜甫擅长言情，李白这方面就不行；欧阳修擅长言情，苏轼这方面就不行；王安石、曾巩偶尔作作词曲，令读者笑倒，这也是因为他们天生缺少悱恻情感的原因。

六〇、好诗有好韵

【原文】

欲作佳诗，先选好韵。凡其音涉哑滞者、晦僻者，便宜弃舍。“葩”即“花”也，而“葩”字不亮；“芳”即“香”也，而“芳”字不响。以此类推，不一而足。宋、唐之分，亦从此起。李、杜大家，不用僻韵，非不能用，乃不屑用也。昌黎斗险，掇《唐韵》而拉杂砌之，不过一时游戏。如僧家作盂兰会，偶一布施穷鬼耳。然亦止于古体，联句为之。今人效尤务博，竟有用之于近体者。是犹奏雅乐而杂侏儒，坐华堂而宴乞丐也，不已颠乎！

【译文】

想要作好诗，首先要选择好韵。凡是哑滞、晦涩、怪僻的音韵，就应当弃舍。“葩”韵就是“花”韵，但是“葩”字韵不响亮；“芳”韵就是“香”韵，但“芳”字韵不响亮。以此类推，不一而足。宋诗与唐诗的区别也是从这一点开始。李白、杜甫这样的大家，不用怪僻的音韵，不是不能用，而是不屑于用。韩愈喜欢用险韵，选取《唐韵》中一些怪韵杂乱堆砌，不过是一时的游戏之作，只限于古体诗与联句之中。这就好比是和尚开展盂兰会，偶尔布施一下穷人罢了。现在的人学着这么做，以追求博学，竟然有人将它们用之于近体诗中。这好像是在演奏雅乐时听众中杂坐有侏儒，坐在华丽的厅堂来宴请乞丐，岂不是颠倒错乱！

六一、词章与考据

【原文】

王梦楼云：“词章之学，见之易尽，搜之无穷。今聪明才学之士，往往薄视诗文，遁而穷经注史。不知彼所能者，皆词章之皮面耳。未吸神髓，故易于决舍；如果深造有得，必愁日短心长，孜孜不及，焉有余功，旁求考据乎？”予以为君言是也。然人才力各有所宜，要在一纵一横而已。郑、马主纵，崔、蔡主横，断难兼得。余尝考古官制，捡搜群书，不过两月之久，偶作一诗，觉神思滞塞，亦欲于故纸堆中求之。方悟著作与考订两家，鸿沟界限，非亲历不知。或问："两家孰优？"曰："天下先有著作，而后有书，有书而后有考据。著述始于三代六经，考据始于汉、唐注疏。考其先后，知所优劣矣。著作如水，自为江海；考据如火，必附柴薪。'作者之谓圣'，词章是也；'述者之谓明'，考据是也。"

【译文】

王梦楼说："有关词章方面的学问，从表面看没有多少，但搜寻起来却无穷无尽。如今那些聪明而有才学的人，往往轻视诗文，躲藏起来把精力投向研究经书注释史料。他们不知道自己所会的只是词章的皮毛而已，没有汲取精髓，因而轻易作出取舍；如果研究得很深透，必然为日子太短而心中想做的事很多而发愁，孜孜不倦致力于此犹嫌不够，哪里有闲工夫另寻考据呢？"我认为他的话有道理。但是人的才力各有所适，区别只在一纵一横而已。郑、马主攻纵，崔、蔡主攻横，实在是很难做到两个方面都能兼顾到的。我曾考证查核古代官制，检索查寻群书，也只不过是两个月的时间，而偶然想作一首诗，却觉得神思滞塞，不能通畅，也想从故纸堆中找到合适的句子。这才醒悟作诗与考据两家的鸿沟与界限，不是亲身经历不会明白。有人问："著作与考据两家哪个好？"我回答说："世界上先有著作堆积，然后有书籍，有了书籍之后才出现考据。著书立说是从三代时的六经开始出现的，而考据则从汉代、唐代注疏开始的。明白了两者出现的先后顺序，就可以知道两者的优劣。著作就像水，可以自己汇成江海；而考据则像火，必须依靠柴薪才能继续燃烧。'著书立说的人可以称为才智非凡的人'说的是词章；'解说作注的人可以称为聪明通晓的人'说的是考据。"

六二、一诗一典故

【原文】

怀古诗，乃一时兴会所触，不比山经地志，以详核为佳。近见某太史《洛阳怀古》四首，将洛下故事，搜括无遗，竟有一首中，使事至七八者。编凑拖沓，茫然不知作者意在何处。因告之曰："古人怀古，只指一人一事而言，如少陵之《咏怀古迹》：一首武侯，一首昭君，两不相羼[①]也。刘梦得《金陵怀古》，只咏王濬楼船一事，而后四句，全是空描。当时白太傅谓其'已探骊珠，所余鳞甲无用。'真知言哉！不然，金陵典故，岂王濬一事？而刘公胸中，岂止晓此一典耶？"

【注释】

①相羼(chàn)：相互掺和。羼，羊杂处在一起。

【译文】

怀古诗是一时触动灵感、兴致所至而作，与山经地志的详细考据不同，近来看到某太史的四首《洛阳怀古》诗，将有关洛阳的典故全部搜罗，没有遗漏，以至有一首诗中，使用典故竟达七八处之多。它们拼凑编撰在一块儿，拖沓呆滞，令读者心中茫然，不知作者用意何在。于是我告诉他说:“古人写怀古之诗,只是以一人一事而发感慨以写情怀,如杜甫的《咏怀古迹》,一首是写武侯诸葛亮的,一首是写王昭君的,两者互不掺杂。刘禹锡的《金陵怀古》,只咏王濬楼船一件事,而后面四句,都是简单描绘。当时白居易说他‘已得精妙之处,所剩部分都是细枝末节。’说得真是极其精辟!若不是这样,那金陵典故又何止王濬一事?而刘禹锡胸中,岂止知晓这一个典故!”

六三、诗不可分唐宋

【原文】

诗分唐、宋,至今人犹恪守。不知诗者,人之性情;唐、宋者,帝王之国号。人之性情,岂因国号而转移哉?亦犹道者、人人共由之路,而宋儒必以道统自居,谓宋以前直至孟子,此外无一人知道者。吾谁欺?欺天乎?七子以盛唐自命,谓唐以后无诗;即宋儒习气语。倘有好事者,学其附会,则宋、元、明三朝,亦何尝无初、盛、中、晚之可分乎?节外生枝,顷刻一波又起。《庄子》曰:“辨生于末学。”此之谓也。

【译文】

诗分为唐诗、宋诗,到现在人们还恪守这种分法。他们不知道诗是人性情的展现;唐、宋,是皇帝的国号。人的性情,怎么能因为国号而转移呢?道统之学,是人人共同可以研究的学问,但宋儒以道统自居，说宋代以前直到孟子，没有一个知道的。欺骗谁啊？欺骗天吗？七子自称得到了盛唐诗的真谛，说唐代以后没有诗，这就是宋儒的习惯语气。倘若有好事的人，学他们穿凿附会，那么宋、元、明三个朝代，又何尝没有初、盛、中、晚期的分别呢？节外生枝，不久又会掀起一阵风波。《庄子》说："辩论产生于琐碎的小学问中。"就是说的这种情况。

六四、八股与作诗

【原文】

时文之学，有害于诗；而暗中消息，又有一贯之理。余案头置某公诗一册，其人负重名；郭运青侍讲来，读之，引手横截于五七字之间，曰："诗虽工，气脉不贯。其人殆不能时文者耶？"余曰："是也。"郭甚喜，自夸眼力之高。后与程鱼门论及之，程亦韪[①]其言。余曰："古韩、柳、欧、苏，俱非为时文者，何以诗皆流贯？"程曰："韩、柳、欧、苏所为策论应试之文，即今之时文也。不曾从事于此，则心不细，而脉不清。"余曰："然则今之工于时文而不能诗者，何故？"程曰："庄子有言：'仁义者，先王之蘧庐[②]也；可以一宿，而不可以久处也。'今之时文之谓也。"

【注释】

①韪：是，对。

②蘧(qú)庐：旅舍。

【译文】

学习现在流行的八股文文风对作诗有害；但是他们暗含的规律又能朴素贯通。我的案头上放着某公诗集一本，这个人有很大的诗名。郭运青侍讲来到这里，读了后，把手横截在第五和第七字之间，说：“诗虽然工整，但气脉不连贯。这个人大概不能作八股文吧？”我说：“是这样。”郭很高兴，夸自己眼力高明。后来与程鱼门论及此事，程也认为他的话有道理。我说：“古之韩愈、柳宗元、欧阳修、苏轼，都不是写八股文的，为何作诗都流畅贯通呢？”程说：“他们所作的策论应试文章，就是今天的八股文。不曾从事于八股文，就会心思不细致，脉络不清晰。”我说：“然而今天却有精通八股文却不会作诗的人，为什么？”程说：“庄子说过：‘仁义，就像先王的旅舍，可以进去过夜，但不能长久居住。’这就是说的今天的八股文啊。”

卷七

六五、诗之指点语

【原文】

诗有现前指点语最佳。香树尚书《题红叶》云：“一夜流传霜信遍，早衰多是出头枝。”程鱼门《观打渔》云：“旁人束手休相怪，空网由来撒最多。”张哲士《观弈》云：“笑渠敛手推枰后，始羡从旁拢袖人。”

宋人诗云：“无事闭门防俗客，爱闲能有几人来。”哲士《月夜》云：“恐有闲人能见访，满庭凉影未关门。”两意相反，而皆有味。

【译文】

诗歌中有对当前事物进行评论的语句，这是最好的。香树尚书的《题红叶》说：“一夜的霜遍及了整个大地，那些早早衰败的大多是出头的枝叶。”程鱼门《观打渔》说：“旁人袖手旁观不要见怪，从来撒得最多的都是空网。”张哲士《观弈》说：“笑他推棋收手而去之后，才开始羡慕那在一旁看下棋的人。”

宋朝人有诗说："没事时关紧门以提防那些俗气的客人，真正喜欢清闲的人又会与多少人来往呢？"哲士的《月夜》说："担心有清闲之人来访，满院都是清凉的树影不用关门。"两诗的意思相反，但都饶有风趣。

六六、四解露筋祠

【原文】

七夕，牛郎、织女双星渡河，此不过"月桂"、"日乌"、"乘槎"、"化蝶"之类，妄言妄听，作点缀词章用耳。近见蒋苕生作诗，力辨其诬，殊觉无谓。尝谓之云："譬如赞美人'秀色可餐'，君必争'人肉吃不得'，算不得聪明也。"高邮露筋祠，说部书有四解：或云："鹿筋，梁地名也；有鹿为蚊所啮，露筋而死，故名。"或云："路金者，人名也；五代时将军，战死于此，故名。"或云："有远商二人，分金于此，一人忿争不已，一人悉以赠之，其人大惭，置金路上而去。后人义之，以其金为之立祠，故名路金，讹为露泾。"所云"姑嫂避蚊"者，乃俗传一说耳。近见云松观察诗，极褒贞女之贞，而痛贬失节之妇，笨与苕生同。不如孙豹人有句云："黄昏仍独自，白鸟近如何？"李少鹤有句云："湖上天仍暮，门前草自春。"与阮亭"门外野风开白莲"之句，同为高雅。

【译文】

七夕那天，牛郎、织女渡过银河，这和“月桂”、“日乌”、“乘槎”、“化蝶”一类，都是姑妄说说，姑妄听听，只是用来点缀词章罢了。近来见蒋苕生作诗，极力辩驳这些事虚妄，觉得很没有必要。我曾对他说：“譬如称赞美人‘秀色可餐’，您一定会争执说‘人肉吃不得’，这算不得聪明呀。”有关高邮的露筋祠，在解说书中有四种注解。有的说：“鹿筋，是梁地地名；因为有一只鹿被蚊子所咬，露出筋骨而死，因此有这样的名字。”有的说：“路金，是人名，五代时的将军，在这个地方战死了，因此有这个名字。”有的说：“有远道而来的二位商人，在这里分金子，一个人争抢不已，另一人把自己的一份全给了他，这人十分惭愧，将金子放在路上走了。后人认为他很仗义，用他的金子为他立了个祠，因此取祠名为路金，错传为露泾。”所谓的“姑嫂避蚊”一说，是民间的一种传说。最近见云松观察的诗歌，极力褒扬贞节女子，而痛贬失节的女人，笨得和蒋苕生一样。不如孙豹人有诗句说：“黄昏时仍独自一人，问白鸟近来怎么样了？”李少鹤有句诗说：“湖面上天空仍然昏暗，门前的草已经绿了。”与阮亭“门外的野风吹开了白莲”的句子，同样十分高雅。

六七、选诗的标准

【原文】

选诗如用人才，门户须宽，采取须严。能知派别之所由，则自然宽矣。能知精彩之所在，则自然严矣。余论诗似宽实严，尝口号云："声凭宫徵都须脆，味尽酸咸只要鲜。"

【译文】

选诗如同使用人才，对其出身的要求一定要宽容，但采录一定要严格。能够知晓诗派的由来，对门户的要求就自然放宽了；能够知晓精彩所在的地方，采录就自然严格了。我评诗看似宽容实则严格，曾号称说："声音只要凭借宫徵都一定清脆，味道只要新鲜，不一定非要酸味、咸味。"

六八、无意传名情真切

【原文】

《三百篇》不著姓名，盖其人直写怀抱，无意于传名，所以真切可爱。今作诗，有意要人知，有学问，有章法，有师承，于是真意少而繁文多。予按：《三百篇》有姓名可考者，惟家父之《南山》，寺人孟子之《萋菲》，尹吉甫之《嵩高》，鲁奚斯之《閟宫》而已。此外，皆不知何人秉笔。

【译文】

《三百篇》不注明作者姓名，大概是作者直抒胸臆，对于传名没有兴趣，所以这些诗真切可爱。现在的人作诗，有意让人知晓，加上他们有学问，讲究章法，并各自有师承，于是注入诗作中的真情实感少，而繁复的文字多。依我看，《三百篇》中有作者可考的篇目，只有家父的《南山》，寺人孟子的《萋菲》，尹吉甫的《嵩高》，鲁奚斯的《閟宫》罢了。除这些外，其他篇目都不知道是谁执笔写的。

六九、上天造人

【原文】

或言八股文体制，出于唐人试帖，累人已甚。梅式庵曰："不然。天欲成就一文人、一儒者，都非偶然。试观古文人如欧、苏、韩、柳，儒者如周、程、张、朱，谁非少年科甲哉？盖使之先得出身，以捐弃其俗学，而后乃有全力以攻实学。试观诸公应试之文，都不甚佳，晚年得力于学之后，方始不凡。不然，彼方终日用心于五言八韵、对策三条，岂足以传世哉？就中晚登科第者，只归熙甫一人。然古文虽工，终不脱时文气息，而且终身不能为诗，亦累于俗学之一证。”

【译文】

有人说八股文的体例，出自唐朝人的试帖，毁人已经很深重了。梅式庵说：“不是这样。上天想成就一个文人、一名儒学家，都不是偶然的事。试看古代像欧阳修、苏轼、韩愈、柳宗元这样的文人，像周敦颐、程颐、张载、朱熹这样的儒学家，谁不是少年时就科举及第呢？也许让他们首先获得了地位，他们就会抛弃以前的俗学，并全力以赴地攻克实实在在的学问。试看各位应试时的文章，都不太好，晚年经过学习，文章才开始不同凡响。倘若他们终日用心于五言八韵、对策三条，哪能具有流传后世的学问呢？论及中晚年考中科举而能传世的贤人，只有归熙甫一人。然而他虽然古文写得好，始终不能脱离时下八股文的气息，而且终生不能作诗，也是被俗学所害的一个例子。”

七〇、铸造得文理

【原文】

余尝铸香炉，合金、银、铜三品而火化焉。炉成后，金与银化，银与铜化，两物可合为一；惟金与铜，则各自凝结，如君子小人不相入也。因之，有悟于诗文之理。八家之文，三唐之诗，金、银也，不搀和铜、锡，所以品贵。宋、元以后之诗文，则金、银、铜、锡，无所不搀，字面欠雅

驯，遂为耳食[①]者所摈，并其本质之金、银而薄之，可惜也！余《哭鄂文端公》云："魂依大袷[②]归天庙。"程梦湘争云："'袷'字入礼不入诗。"余虽一时不能易，而心颇折服。

【注释】

①耳食：比喻不假思索，轻信所闻。

②袷(jié)：古代朝服、祭服的交领。

【译文】

我曾经让人铸造一个香炉，合金、银、铜三种金属火化而成。香炉铸成后，金与银化在一起，银与铜化在一起。只有金与铜，却各自凝结，像君子与小人互不相容一样。因此，我在诗文道理上有所领悟。唐宋八大家的文章，初、中、晚唐的诗歌，就是金与银一样，未掺和铜、锡，所以珍贵。宋、元以后的诗文，却是金、银、铜、锡无所不掺，字面不够雅致，于是被一些轻信的人所摈弃，连其中所含的金、银也遭到鄙视，真是可惜呀！我在《哭鄂文端公》中写道："魂魄依附大袷回到了天朝。"程梦湘争辩说:"'袷'字能进入礼仪,但不能进入诗歌。"我虽然一时不能更改,但心里被他所折服。

七一、无题与有题

【原文】

无题之诗,天籁也;有题之诗,人籁也。天籁易工,人籁难工。《三百篇》、《古诗十九首》,皆无题之作,后人取其诗中首面之一二字为题,遂独绝千古。汉、魏以下,有题方有诗,性情渐漓。至唐人有五言八韵之试帖,限以格律,而性情愈远。且有"赋得"等名目,以诗为诗,犹之以水洗水,更无意味。从此,诗之道每况愈下矣。余幼有句云:"花如有子非真色,诗到无题是化工。"略见大意。

【译文】

没有题目的诗作,是上天发出的声音;有题目的诗作,是人发出的声音。上天发出的声音容易工整,人发出的声音难以工整。《三百篇》、《古诗十九首》,都是无题之作,后人取诗中前面一二个字作题目,于是流传千古,独一无二。自汉、魏以来,有诗题才有诗,而诗中的性情渐渐疏离。到唐代有人作五言八韵的试帖,用格律加以限制,因而诗中的性情更加远离。并有"赋得"等名目,用诗作诗,就好比用水来洗水,更加没有意味。作诗的真谛每况愈下。我小时候写过一句诗说："花如有子非真色，诗到无题是化工。"从这句诗中大略可见我的观点。

七二、诗歌的妙处

【原文】

东坡云："作诗必此诗，定知非诗人。"此言最妙。然须知作此诗而竟不是此诗，则尤非诗人矣。其妙处总在旁见侧出，吸取题神，不是此诗，恰是此诗。古梅花诗佳者多矣。冯钝吟云："羡他清绝西溪水，才得冰开便照君。"真前人所未有。余《咏芦花》诗，颇刻划矣。刘霞裳云："知否杨花翻羡汝，一生从不识春愁。"余不觉失色。金寿门画杏花一枝，题云："香骢红雨上林街，墙内枝从墙外开。惟有杏花真得意，三年又见状元来。"咏梅而思至于冰，咏芦花而思至于杨花，咏杏花而思至于状元，皆从天外落想，焉得不佳？

【译文】

苏东坡说过："一作诗就是这首诗，就知道这人不是诗人。"这句话说得很好。但是要知道作这首诗竟然作出的不是这首诗，则更不是诗人啊。诗的妙处在于主题总在旁侧显现，看着不像这首诗，其实恰恰是这首诗。古代梅花诗写得好的很多，冯钝吟说："羡慕西溪水清绝无双，冰刚刚融化就见它盛开。”这是前人所未有的。我的《咏芦花》诗，十分像他的这一首。刘霞裳说：“知不知道杨花反而十分羡慕你，一生不知道什么叫春愁。”我不觉失色。金寿门画杏花一枝，旁边题诗说：“上林街上红雨飘落马蹄生香，树枝从墙内伸到墙外并开出了花。只有杏花十分得意，三年后又看到状元郎回来。”由咏梅想到冰，由咏芦花想到杨花，由咏杏花而想到状元，都是从极高处落笔，又怎能不是好诗呢？

七三、诗贵真切

【原文】

诗难其真也，有性情而后真；否则敷衍成文矣。诗难其雅也，有学问而后雅；否则俚鄙率意矣。太白斗酒诗百篇，东坡嬉笑怒骂，皆成文章，不过一时兴到语，不可以词害意。若认以为真，则两家之集，宜塞破屋子；而何以仅存若干？且可精选者，亦不过十之五六。人安得恃才而自放乎？惟糜惟芑[①]，美谷也，而必加舂揄扬簸之功；赤董[②]之铜，良金也，而必加千辟万濯之铸。

【注释】

①芑(qǐ)：一种谷类植物。

②董：纯正。

【译文】

作诗很难做到真切感人，必须先有真情实感然后才能达到真切，否则只能敷衍成文；作诗很难做到淡雅，必须先具备渊博的学问才能达到淡雅的境地，否则诗就会粗俗不堪。李白喝酒一斗写成百篇诗歌，苏轼的嬉笑怒骂都可写成文章，这些都不过是一时兴致到来时所得的语句，不能因选词而损害了意境。若引以为真，那么他们二人的文集，最好扔到破屋子里去，为何反而存下来这么多呢？而且可以精选出来的，也不过十分之五六。人怎么可以倚仗才能而放任自己呢？糜和芑都是美味的粮食，但也必须加以舂捣和扬簸；纯正的铜，相当于上好的金子，但必须加以千锤百炼。

七四、诗歌不宜分期精雕细刻

【原文】

论诗区别唐、宋，判分中、晚，余雅①不喜。尝举盛唐贺知章《咏柳》云："不知细叶谁裁出，二月春风似剪刀。"初唐张谓之《安乐公主山庄》诗："灵泉巧凿天孙②锦，孝笋能抽帝女枝。"皆雕刻极矣，得不谓之中、晚乎？杜少陵之"影遭碧水潜勾引，风妒红花却倒吹"；"老妻画纸为棋局，稚子敲针作钓钩"，琐碎极矣，得不谓之宋诗乎？不特此也，施肩吾《古乐府》云："三更风作切梦刀，万转愁成绕肠线。"如此雕刻，恰在晚唐以前。耳食者不知出处，必以为宋、元最后之诗。

【注释】

①雅:平素,向来。

②天孙:植物的再生或蘖生者。

【译文】

谈到诗歌就区分唐诗、宋诗,并分为中期、晚期,我向来不喜欢这样。我曾经列举盛唐贺知章的《咏柳》:"不知道这细细的绿叶是谁裁剪出来的,原来是二月的春风,它就像那锋利的剪刀。"初唐张谓之《安乐公主山庄》:"灵泉巧妙地凿出自然天成的锦绣画卷,孝顺的竹笋也能抽出金枝玉叶。"这些诗句都极其雕饰,难道不像是出自中唐、晚唐?杜甫的"影子受到碧绿清水的勾引,风儿嫉妒红花便将它吹倒","老迈的妻子用纸画出棋盘,年幼的孩子敲针作钓鱼钩",琐碎到了极点,难道不像是宋诗吗?不仅如此,施肩吾《古乐府》:"半夜三更吹起大风,就像是切断好梦的利刃,万般的愁绪就像是缠绕肠子的丝线。"如此雕饰,恰恰产生于晚唐之前。轻信的人不知出处,一定以为是宋、元后期的作品。

七五、杜甫的随兴诗

【原文】

余雅不喜杜少陵《秋兴》八首，而世间耳食者，往往赞叹，奉为标准。不知少陵海涵地负之才，其佳处未易窥测；此八首，不过一时兴到语耳，非其至者也。如曰“一系”，曰“两开”，曰“还泛泛”，曰“故飞飞”；习气大重，毫无意义。即如韩昌黎之“蔓涎角出缩，树啄头敲铿”，此与《一夕话》之“蛙翻白出阔，蚓死紫之长”何殊。今人将此学韩、杜，便入魔障。有学究言：“人能行《论语》一句，便是圣人。”有纨绔子笑曰：“我已力行三句，恐未是圣人。”问之，乃“食不厌精，脍不厌细，狐貉之厚以居”也。闻者大笑。

【译文】

我一直不喜欢杜甫的《秋兴》八首，但那些轻信的人往往赞叹它，并将之奉为标准。他们不知道杜甫有很大的才气，他的好处不容易窥测。这八首诗，不过是一时兴致所致随口而出，并不是最好的。比如说，诗中用有“一系”、“两开”、“还泛泛”、“故飞飞”，这些词语表现出了太重的习气，毫无意义。好像韩愈的“蔓涎角出缩，树啄头敲铿”，这与《一夕话》中的“蛙翻白出阔，蚓死紫之长”有什么不同？现在的人将这些东西当作学韩愈、杜甫的标准，这就走火入魔了。有学究说：“谁能够按《论语》中的一句来行事，便是圣人。”有纨绔子弟笑着说：“我已按三句做了，恐怕还不是圣人。”问他是哪三句，他说是“食不厌精，脍不厌细，狐貉之厚以居”。听者大笑。

卷八

七六、戒滥评

【原文】

西崖先生云："诗话作而诗亡。"余尝不解其说，后读《渔隐丛话》，而叹宋人之诗可存，宋人之话可废也。皮光业诗云："行人折柳和轻絮，飞燕含泥带落花。"诗佳矣。裴光约訾之曰："柳当有絮，燕或无泥。"唐人："姑苏城外寒山寺，夜半钟声到客船。"诗佳矣。欧公讥其夜半无钟声。作诗话者，又历举其夜半之钟，以证实之。如此论诗，使人夭阏性灵，塞断机括，岂非"诗话作而诗亡"哉？或赞杜诗之妙。一经生曰："'浊醪谁造汝？一醉散千愁。'酒是杜康所造，而杜甫不知；安得谓之诗人哉？"痴人说梦，势必至此。

【译文】

西崖先生说："诗评兴盛时诗歌就衰亡了。"我曾经对这种说法不理解，后来读了《渔隐丛话》，因而感叹宋朝人的诗歌值得保存，宋朝人的诗评应该废除。皮光业（皮日休之子）有句诗说："行人折下柳枝荡起轻轻的柳絮，飞翔的燕子口中衔着的春泥也沾上了落花。"这诗好啊！裴光约却指责说："柳当然有絮，但是燕子可能口中没有含泥。"唐代人有诗："姑苏城外寒山寺，夜半钟声到客船。"这诗好啊！欧阳修却讥笑说夜半没有钟声。作诗歌评论的人又举例夜半的钟声，以考证此事。如此评论诗歌，使人阻塞了性灵，埋没了智慧，这难道不是"诗评兴盛，诗歌衰亡"吗？有人称赞杜甫诗歌的美妙。一位书生却说："'浊醪谁造汝？一醉散千愁。'酒是杜康所造，而杜甫不知道，又怎么称得上是诗人呢？"痴人说梦，势必会荒唐到这么一种田地。

七七、评诗谶[①]

【原文】

诗谶从古有之。宋徽宗《咏金芝生》诗，曰："定知金帝来为主，不待春风便发生。"已兆靖康之祸。后蜀主孟昶《题桃符贴寝宫》云："新年纳余庆，嘉节号长春。"后太祖灭蜀，遣吕余庆知成都。王阳明擒宸濠，勒石庐山，有"嘉靖我邦国"五字。亡何，世宗即位，国号嘉靖。扬州城内有康山，俗传康对山曾读书其处，故名。康熙间，朱竹垞游康山，有"有约江春到"之句。今康山主人颖长方伯[②]，修葺其地，极一时之盛，姓江，名春：亦一奇矣！

【注释】

①谶(chèn):预测吉凶的隐语、图记。

②方伯:泛指地方长官。

【译文】

作诗对将来的事进行预言在古代就有了。宋徽宗有《咏金芝生》诗说:“定知金帝来为主,不待春风便发生。”已预知有靖康之祸。后蜀主孟昶也在《题桃符贴寝宫》里说道:“新年纳余庆,嘉节号长春。”后来太祖灭了蜀,派遣吕余庆来把守成都。王阳明擒获宸濠,在庐山刻了一块石碑,写有“嘉靖我邦国”五个字。没过多久世宗即位,把国号改为嘉靖。扬州城内有康山,民间传说康对山曾在这里读书,因此命名。康熙年间,朱竹垞游康山,曾写有“有约江春到”的句子,现在的康山主人颖长长官,把这里治理得很好,一时呈现出繁盛的景象,这位主人姓江,名春,这也是一件令人惊奇的事情啊!

七八、描诗容易作诗难

【原文】

士大夫宦成之后,读破万卷,往往幼时所习之《四书》、《五经》,都不省①记。癸未召试时,吴竹屿、程鱼门、严冬友诸公毕集随园。余偶言及《四书》有韵者,如《孟子》“师行而粮食”一段,五人背至“方命虐民”之下,都不省记。冬友自撰一句足之,彼此疑其不类,急翻书看,乃

“饮食若流”四字也。一座大笑。外甥王家骏有句云:“因留僧话通吟偈,为课儿功熟旧书。”

甥多佳句,如“乍见波微白,方知月骤明”,“一编如好友,宜近不宜疏”,“衣因乱叠痕常绉,书为频翻卷不齐”,“宿云似幕能遮月,细雨如烟不损花”,“停足恰逢曾识寺,入门先问旧交僧”,“曲引急流归远港,微删密叶显新花”,“伏枕苦吟无好句,描诗容易做诗难。”皆有放翁风味。

【注释】

①省:记,记忆。

【译文】

士大夫当官之后,已读万卷之书,但往往记不起年幼时所读的《四书》、《五经》了。癸未年召试时,吴竹屿、程鱼门、严冬友等先生聚集到随园。我偶尔说到《四书》中有韵的篇目,如《孟子》“师行而粮食”一段,五人背到“方命虐民”之后就都不记得了。冬友自己编了一句结尾,大家都怀疑不像,急忙翻开书本看,是“饮食若流”四个字。在座各位都大笑。我外甥王家骏有诗说:“因为留下僧人一道谈禅,结果温习的却都是小时候所学的功课和旧书。”

外甥有很多好的诗句,如“刚看到波浪呈现一片微白,才知道是月亮突然亮了起来”,“书卷就像好朋友,应该亲近不应该疏远”,“衣服因为胡乱折叠而生出许多褶皱,书本因为常常翻阅页面都不整齐了”,“晚上的云朵像幕布能遮蔽月亮,细雨像烟雾不会损伤花儿”,“停下脚步刚好遇到了曾经熟悉的寺庙，一进门首先就问询旧日交好的僧友”，“曲曲折折的急流回到远方的港口，稍微删除一些太过浓密的叶子露出刚开的花朵”，“伏在枕头上苦苦吟咏好的诗句，才发觉描诗容易作诗难”。这些都有陆游的风格。

七九、诗之用意与下语

【原文】

《漫斋语录》曰：“诗用意要精深，下语要平淡。”余爱其言，每作一诗，往往改至三五日，或过时而又改。何也？求其精深，是一半工夫；求其平淡，又是一半工夫。非精深不能超超独先，非平淡不能人人领解。朱子曰：“梅圣俞诗，不是平淡，乃是枯槁。”何也？欠精深故也。郭功甫曰：“黄山谷诗，费许多气力，为是甚底？”何也？欠平淡故也。有汪孝廉以诗投余。余不解其佳。汪曰：“某诗须传五百年后，方有人知。”余笑曰：“人人不解，五日难传；何由传到五百年耶？”

【译文】

《漫斋语录》上说：“作诗用意要精深，用语要平淡。”我很喜欢这个说法，每作完一首诗，往往改三五天才好，或者过一阵再改。为什么？求诗意上的精深，是一半功夫；求语言上的平淡，又是一半功夫。不精深不能超越其他而独自占先，不平淡不能让人人都理解体会。朱熹说："梅圣俞的诗，不是平淡，而是枯槁。"为什么？因为欠缺精深。郭功甫说："黄山谷的诗，费了许多气力，说的是什么？"为什么？欠缺平淡的原因。有个叫汪孝廉的人投诗给我，我不知道这诗有什么好处。汪说："我的诗必须传到五百年后才有人知道。"我笑着说："人人都不能理解，五天都难传下去，凭什么能传到五百年以后呢？"

八〇、看题行诗

【原文】

严沧浪借禅喻诗，所谓"羚羊挂角，香象渡河，有神韵可味，无迹象可寻"，此说甚是。然不过诗中一格耳。阮亭奉为至论，冯钝吟笑为谬谈；皆非知诗者。诗不必首首如是，亦不可不知此种境界。如作近体短章，不是半吞半吐，超超元箸[①]，断不能得弦外之音，甘余之味。沧浪之言，如何可诋？若作七古长篇、五言百韵，即以禅喻，自当天魔献舞，花雨弥空，虽造八万四千宝塔，不为多也，又何能一羊一象，显渡河、挂角之小神通哉？总在相题行事，能放能收，方称作手。

【注释】

①超超：卓越的样子。元箸：十分明显。元，大。箸，通"著"，明显。

【译文】

严羽借禅来比喻诗歌，他说诗就如“羚羊挂角，香象渡河，有神韵可味，无迹象可寻”，这种说法很有道理。然而这不过是诗中的一种风格罢了。阮亭却将这奉为真理，冯钝吟讥笑它为谬论。他们都不是真正理解诗歌的人。诗歌不必每一首都是这样，但也不可以不了解这种境界。例如作近体短章，不是半吞半吐，超凡脱俗，是万万不能得到弦外之音、甘余之味的。严羽的话怎么可以指责呢？假如作七古长篇、五言百韵，用禅比喻，应当是天魔献舞，花雨弥漫整个天空，即便造八万四千宝塔，也不为多，又何止是一羊一象来表演渡河、挂角这样的小神通呢？总之，要依诗题行事，能够放得开收得住，才称得上是作诗的能手。

八一、不可苟论古人

【原文】

余雅[1]不喜苟论古人。阮亭骂杜甫无耻，以其上明皇《西岳赋表》云：“惟岳授陛下元弼，克生司空。”指杨国忠故也。不知表奏体裁，君相并美，非有心阿附。况国忠乱国之迹，日后始昭。当初相时，杜甫微臣，难遽斥为奸佞。即如上哥舒翰诗，亦极推尊，安能逆料其将来有潼关之败哉？韩昌黎《赠郑尚书序》，郑权也；颜真卿《争坐位帖》，与郭英义也：本传皆非正人，而两贤颇加推奉，行文体制，不得不然。宋人訾陆放翁为韩侂胄作记，以为党奸；魏叔子责谢叠山作《却聘书》，以伯夷自比，是以殷纣比宋：皆属吹毛之论。孔子“与上大夫言，訚訚[②]如也”，所谓“上大夫”者，独非季桓子、叔孙武叔一辈[③]人乎？

【注释】

①雅：平素，向来。

②訚訚(yín)：争辩的样子。

③辈：类。

【译文】

我向来不喜欢苛求古人。王阮亭因为杜甫上书唐明皇的《西岳赋表》上说：“是华山送给陛下辅佐大臣，来克生司空。”而骂他无耻，这首诗中的“大臣”是指的杨国忠。阮亭不知道表奏的体裁要求君王和宰相互相赞美，杜甫并不是有心阿谀奉承。更何况杨国忠乱国的劣迹日后才被发现。当初他做宰相的时候，杜甫只是个小官，难以斥责他为奸佞。就像他上哥舒翰的诗，也极力推崇他，哪能料到他将来会有在潼关的大败呢？韩愈写有《赠郑尚书序》，推崇郑权；颜真卿写有《争坐位帖》，送给郭英义。他们在本传里都不是正人君子，而两位贤人却颇推崇他们，这是文章体裁的要求，不得不这样。宋朝人指责陆游为韩侂胄写传记，认为他是党奸；魏叔子指责谢叠山作《却聘书》，把伯夷比作自己，而以殷纣比作宋朝。这都是属于吹毛求疵的言论。孔子所说的"与上大夫谈话，争论不休"，这里所说的上大夫，难道不就是季桓子、叔孙武叔这类人吗？

八二、诗句平浅而意味深长

【原文】

诗有极平浅，而意味深长者。桐城张徵士若驹《五月九日舟中偶成》云："水窗晴掩日光高，河上风寒正长潮。忽忽梦回忆家事，女儿生日是今朝。"此诗真是天籁。然把"女"字换一"男"字，便不成诗。此中消息，口不能言。

【译文】

诗有写得极其平易浅显但意味深长的。桐城张若驹徵士的《五月九日舟中偶成》写道："水窗晴掩日光高，河上风寒正长潮。忽忽梦回忆家事，女儿生日是今朝。"这首诗真上天之作。然而把"女"字换成一个"男"字，就不成诗了。这中间的奥妙，不是用嘴能说出的。

卷九

八三、布衣诗人朱草衣

【原文】

白下布衣朱草衣，少时有“破楼僧打夕阳钟”之句，因之得名。晚年无子，卒后葬清凉山。余为书“清故诗人朱草衣先生之墓”，勒石坟前。余宰溧水，蒙见赠云：“叠为花县一江分，来往惟携两袖云。待客酒从朝起设，告天香每夜来焚。自惭龙尾非名士，肯把猪肝累使君？却喜循良人说遍，填渠塞巷尽传闻。”《郊外》云：“乱鸦多在野，深树不藏村。”《与客夜集》云：“羁身同海国，归梦各家乡。”《大观亭》云：“长江围地白，老树隔朝青。”《晚行》云：“土人防虎门书字，水屋叉鱼树有灯。”《赠某侍御》云：“朝罢官袍多质库，时清谏纸尽抄书。”

【译文】

白下有一个百姓朱草衣，小时候曾写过“破楼僧打夕阳钟”的诗句，并因此而出了名。他晚年没有儿子，死后埋在清凉山上。我为他写了“清故诗人朱草衣先生之墓”，刻在坟前的石头上。我在溧水做官时，他赠诗说：“一江把县城分成了两个部分，你到来和离开这里只带着两袖清云。款待客人的酒早上就要准备，祈祷上天的香每夜都要烧，自惭自己是龙的尾巴不是名士，怎能把自己不像样的诗文给你看？高兴的是善良的人都在传说，满街满城都有关于你的传闻。”《郊外》说：“乌鸦大多在野外，深深的树林中没有村庄。”《与客夜集》说：“把个人的一切都献给了国家，梦里才回到各自的家乡。”《大观亭》说：“长江冲得周围的土地发白，隔年的老树又发绿枝。”《晚行》说：“当地人为了防御老虎而在门上写字，在水边借着树上的灯的亮光来叉鱼。”《赠某侍御》说：“上完朝官服大都放入仓库中，不时清点出上谏的用纸都用来抄写书本。”

八四、天分高者心虚

【原文】

刘霞裳与余论诗曰：“天分高之人，其心必虚，肯受人讥弹。”余谓非独诗也；钟鼓虚故受考[①]，笙竽虚故成音。试看诸葛武侯之集思广益，勤求启诲，此老是何等天分？孔子入太庙，每事问。颜子以能问于不能，以多问于寡。非谦也，天分高，故心虚也。

【注释】

①考：敲，击。

【译文】

刘霞裳和我讨论诗的时候说："天分高的人，他的内心一定谦虚，肯接受别人的讥笑。"我说，不仅仅是诗人才这样，钟鼓空所以耐敲击，笙竽空所以奏出音乐。请看诸葛亮，他集思广益，勤学好问，这位老者是何等的有天分！孔子进了天子的祖庙，遇到每件事都要向人请教；颜渊向不能发问的人发问，向懂得少的人发问。这些并不是因为谦虚，而是因为天分高，所以心怀宽广。

八五、谶语诗

【原文】

余《哭鄂制府虚亭死节》诗，云："男儿欲报君恩重，死到沙场是善终。"乙酉，天子南巡，傅文忠公向庄滋圃新参诵此二句，曰："我不料袁某才人，竟有此心胸。闻系公同年，我欲见之，希转告之。"余虽不能往谒，而心中知己之感，恻恻不忘。第念平生诗颇多，公何以独爱此二句？后公往缅甸，受瘴得病归，薨。方知一时感触，未尝非谶云。

鄂公拈香清凉山，过随园门外，指示人曰："风景殊佳，恐此中人，必为山林所误。"有告余者，余不解所谓。后见宋人《题吕仙》一绝曰："觅官千里赴神京，得遇钟离盖便倾。未必无心唐社稷，金丹一粒误先生。"方悟鄂公"误"字之意。

【译文】

我写的《哭鄂制府虚亭死节》诗中说："男儿想要报答皇上的重恩，能死在战场上就是善终。"乙酉年，皇上到南方巡视，傅文忠公向庄滋圃新参读这二句诗，说："我没有想到袁枚一个才子，竟还有这样的心胸。听说他和你是同年，我想见见他，希望你能转告。"我虽然不能前去拜访，但心中那种遇到知己的感动，却始终不能忘记。想我平生的诗作很多，傅公为什么单单喜欢这两句呢？后来傅公前往缅甸，受了瘴气得病回来，很快就死了。才知道那一时的感触，竟然成了预言了。

鄂公在清凉山上拈香，路过随园门外，指着随园对别人说："风景这么好，恐怕住在园中的人，要被风景所误。"有人把鄂公的话告诉我，我不懂他的意思。后来见到宋人写的《题吕仙》一绝说："为了求官而不远千里赶往京都，路上遇到汉钟离便为之倾倒。不是不想为大唐的社稷操心，只因为一粒金丹耽误了先生啊。”我才明白鄂公所说“误”字的意思。

八六、秀才清诗

【原文】

尹望山相公，四督江南，诸公子随任未久，多仕于朝。惟似村以秀才故不当差，常侍膝下，诗才清绝。余骈体序中，已备言之。犹记其订余往过云：“清谈相订菊花期，正慰幽怀入梦时。空谷传书鸿屡至，闲庭扫径仆先知。关心尚忆他乡客，因病翻添数首诗。闻道芒鞋将我过，倚阑只恨月圆迟。”《绚春园》云：“莫唤池边贪睡犬，隔林恐有看花人。”乙酉别去，庚子八月，忽奉太夫人就芜湖观察两峰之养，重过随园。见和云：“迎人鸡犬闲如旧，满架琴书卖欲无。”《临别》云：“故人垂老别，归舫任风移。退一步来想，斯游本不期。”似村，名庆兰。

【译文】

尹望山相公，四次督察江南，他的几位公子随任不久，便都去朝中做官。只有似村是秀才身份，所以不当差，经常陪伴在尹公身边，诗才清新绝妙。我在骈体文的序中，已详细说过了。还记得他订日期约我过去说：“相约在菊花开的时候清谈，正好在幽静的时候做梦。鸿雁传书书信顷刻就到了，我打扫庭院翘首以待。牵挂在外地的客人，因为有病反而写了好几首诗。听说你要脚穿芒鞋来看我，我倚着栏杆只恨月亮圆得太慢了。”《绚春园》说：“不要叫醒池边贪睡的狗，隔着树林恐怕有看花的人。”乙酉年离别后，庚子年8月，似村忽然奉送太夫人去芜湖观察两峰处养老，又路过随园。他和诗说：“迎人的鸡犬悠闲得和过去一样，满架的琴书都快卖完了。”写《临别》诗说：“故人告老而去，归去的船任风吹拂。退一步来想，这次出游本来就没有相约。”似村，名庆兰。

八七、成人之美

【原文】

宰江宁时，有南乡钱贡甫之子某，买张某妻陈氏为妾，得价后，屡诈不遂，遂来控官。余召讯之。钱烧窑，张为其采煤者也，貌如石炭，妻嫣然窈窕。钱美少年，能诗。余意天然佳偶，欲配合之，而格于例，乃发官媒，免其答。有役某素黠，探知官意，密授钱计，仍买归焉。钱故乡居，事过后，余不便再问消息。后十余年，余游牛首山，路见鬑鬑者，率三婴儿，捧香伏地。问何人。曰：“钱某也。年来妻亡，扶陈氏为正室。此三儿皆其所生。某亦入上元学矣。妻闻公游山，命我来谢。”献诗云：“酬恩两个山村雀，含着金环没处寻。绿叶成阴满枝子，费公多少种花心。”

【译文】

我在江宁做县令的时候，有南乡钱贡甫的儿子钱某，买了张某的妻子陈氏做妾。张某得到钱后，屡次欺诈钱某不肯如约，钱某就来告官。我召他们前来审讯。钱某家烧窑，张某是为他家采煤的工人，他貌如石炭，但妻子却很美丽。钱某少年貌美，能够作诗。我认为钱某和张妻是天生的一对，想成全他们，但限于官例，只好派官做媒，免除其鞭打之刑。有个差役平素就很聪明，他探知我的意图后，秘密给钱某出计，要他将陈氏买回去。钱某回到故乡居住，事情过后，我不便再探问他们的消息。十多年后，我游览牛首山，路上看见一个须发很长的人，带着三个小孩子，捧香跪伏地上。问他是谁，他说："是钱某。前几年妻子死了，扶陈氏为正室。这三个小孩都是她所生。我也入上元学了。妻子听说您来这儿游山，叫我前来感谢。"并献诗说："酬恩两个山村雀，含着金环没处寻。绿叶成荫满枝子，费公多少种花心。"

八八、胡女情

【原文】

康熙庚子，常熟杜昌丁入藏，过澜沧百里，其部落曰估倧，有小女名伦几卑，聪慧明艳，能通汉语。昌丁来往，屡主其家，见辄呼"木瓜呀布"。"木瓜"者，尊称也；"呀布"者，犹言好也。彼此有情。临行，以所挂戒珠作赠，挥泪而别。归语士大夫，咸为怃然。沈子大先生作诗云："估倧小女年十六，生长胡乡服胡服。红帽窄衫小垂手，白毹贴地双趺足。汉家天子抚穷边，门前节使纷蝉联。慧性早能通汉语，含情何处结微缘。杜郎七尺青云士，仗剑辞家报知己。匹马翩翩去复回，暂借估倧息行李。解鞍入户诧嫣然，万里归心一笑宽。笑迎板屋藏春暖，絮问游踪念夏寒。自言去日曾相见，君自无心妾自怜。妾心如月常临汉，君意如云欲返山。私语闲将番字教，烹茶知厌酪浆膻。两意绸缪俄十日，谁言十日是千年。留君不住归东土，恨无双翼随君举。聊解胸前玛瑙珠，将泪和珠亲赠与。一珠一念是妾心，百回不断珠中缕。尘起如烟马如电，珠在君怀君不见。黄河东流黑水西，脉脉空悬情一线。”

【译文】

康熙庚子年间，常熟杜昌丁到西藏去，过澜沧百里之后，到了一个叫估倧的部落，那里有一个少女名叫伦几卑，她聪明漂亮，能讲汉语。昌丁来来往往，就住在她家，见了她就叫“木瓜呀布”。“木瓜”是尊称，“呀布”是好的意思。两人彼此有情有义，昌丁临走的时候，伦几卑用身上挂的戒珠作赠物，挥泪告别。昌丁回来告诉士大夫们，大家都为他感慨难过。沈子大先生写诗说：“估倧小女年方十六，生长在少数民族从小穿民族服装。她头戴红帽身穿窄衫，长着一双柔软的小手，双脚穿着白色的鞋子。汉家天子安抚边疆，门前的汉人使节纷纷过往。她性情聪慧早就学会了汉语，含情脉脉到哪里去结姻缘。杜郎堂堂七尺男儿，仗剑离家报答知己。一人骑马翩翩来回走，暂住在估倧族存放行李。解鞍进门总有她嫣然相迎，万里同心一笑欢欣。笑着迎进木板屋，顿时感到春天般的温暖，仔细地询问游历行踪，挂念冷暖。自己说会有一天再相见，你是无心我却记在心底。我的心就像明月一样照着你住的地方，而你的心意就像云彩一样终究要返回山里。私下说闲来教你番语，烹茶时知道你不爱闻山羊的膻味。两人情意绵绵地只过了十天，谁能说十天像千年。留不住你，你终究要回东边，恨自己没双翅追随着你。只能解下胸前挂的玛瑙珠，将眼泪混着珠子都送给你。一颗明珠一份思念都是我的心意，千折百回也不断珠中的连线。飞尘如烟马如闪电，珠子在你怀里你却已经消失在远方。黄河东流黑水西流，脉脉之情只能靠一条线来系牵。”

卷十

八九、苕涓诗

【原文】

“关防”二字，见《隋书·酷吏传》，原非作官者之美名。故余知江宁时，记室史正义苕涓，时出狎游，予爱其才，而不禁也。其《南归留别得青字》云：“浪迹深惭水上萍，漫劳今夜饯邮亭。鬓从久客无多绿，灯入离筵分外青。海国归帆随候雁，天涯知己剩晨星。何时载得兰陵酒，重向红桥共醉醒。”又曰：“酒沽双屐雨，人坐一庭烟。”

【译文】

“关防”二字，参见《隋书·酷吏传》，原来并不是做官人的美称。因此在我做江宁知县的时候，记室官吏史正义（字苕涓），经常外出与妓女游玩，我因爱惜他的才气而没有禁止他。他的《南归留别得青字》一诗说：“浪迹天涯时感到自己是水上的浮萍，麻烦你今夜在邮亭为我送行。我的头发因为长年在外奔波而过早变白了，灯光照在离别的筵席上显得十分清幽。在海外扬帆随大雁而去，天涯知己就像拂晓时的星辰一样少。不知什么时候还有兰陵美酒，能够重新回到红桥与你同醉醒。”他又写诗说：“下雨天穿着木屐出去打酒，坐在庭院中看云烟袅袅。”

九〇、学问之道

【原文】

学问之道，《四子书》如户牖[①]，《九经》如厅堂，《十七史》如正寝，杂史如东西两厢，注疏如枢臬[②]，类书如橱柜，说部如庖湢井匽[③]，诸子百家诗文词如书舍花园。厅堂正寝，可以合宾，书舍花园，可以娱神。今之博通经史而不能为诗者，犹之有厅堂大厦，而无园榭之乐也。能吟诗而不博通经史者，犹之有园榭而无正屋高堂也。是皆不可偏废。

【注释】

①牖：窗户。

②枢：门上的转轴。臬(niè)：古代门中央所竖短木，即门闩。

③湢(bì)：浴室。匽：储污水的坑池。

【译文】

做学问的道理，《四子书》像窗户，《九经》像厅堂，《十七史》像卧室，杂史像正屋的东西两个厢房，注疏像门闩，类书像橱柜，说部像厨房和浴室储污水的坑池，诸子百家的诗词文章像书房和花园。厅堂和卧室可以接待客人，书房花园可以使人精神愉悦。现在博通经史而不能作诗的人，就好像家中有正屋厅堂而没有花园楼台之愉悦；能吟诗而不能博通经史的人，就好像家中有花园楼台而没有正屋高堂。以上这些都不可偏废。

九一、梁梦善诗

【原文】

梁文庄公弟梦善，字午楼，生富贵家，而娟洁静好，《孟子》所谓“无献子之家者也”。年十五，举于乡，六上春闱，不第，出宰蠡县，非其志也。年过四十而卒。《出都》一首，便觉不祥。其词云：“何处人间有雁声，暮云无际且南征。西风禾黍临官道，落日牛羊近古城。生意渐如衰柳尽，浮生只共片帆轻。劳劳踪迹年年是，凄绝天涯此夜情。”《咏熏炉》云：“梦去恰疑怀

堕月，抱来错认玉为烟。”《饮沈椒园太史家》云：“微吟韵许追前辈，中酒身还耐薄寒。”《述怀》云：“洗马清羸潘令鬓，外人刚认一愁无。”皆清词丽句，楚楚自怜。亦有壮语，如：“出塞不辞三万里，著书须计一千年。”恰不多也。

【译文】

梁文庄公弟梦善，字午楼，出生在富贵之家，却性情高洁爱好宁静，是《孟子》所说的那种“无献子的家庭啊”。他十五岁中秀才，六次参加会试，都没有中榜，后出任蠡县县令，这不是他的志向。梁梦善年过四十就死了。他有一首《出都》诗，便让人觉得不祥。其诗说：“什么地方有大雁的叫声，傍晚云霞漫天往南移。西风吹着官道边的禾黍，落日下古城边有牛羊在走。生存的意志就像衰柳一样渐渐不行了，人生就像坐船一样四处漂泊。辛劳的踪迹年年如此，凄绝天涯是今夜的情怀。”《咏熏炉》说：“梦中好像见到了月亮坠落，抱过来错把玉当成云烟。”《饮沈椒园太史家》说：“轻吟诗韵或许可以比得上前辈，喝醉酒的身子耐得住凉凉的寒意。”《述怀》说：“洗马收拾行装时我鬓发初白，外人以为我一身轻松没有烦恼。”这些都是清词丽句，楚楚自怜。他也有豪言壮语，如：“出塞不惜三万里之遥，写书一定要流传千年。”可惜这类诗句不是太多。

九二、相逢对面不相识

【原文】

真州郑中翰沄，字晴波，新婚北上，《留别闺中》云：“来年春到江南岸，杨柳青青莫上楼。”其同年周舍人发春喜诵之。时有陈庶常濂，与周相善，而未识郑。一日公宴处，周、郑俱在，陈忽语周曰：“昨闻有人赠内之句，情韵绝佳，当是晚唐人手笔。”周急叩之。则所称者，即郑诗也。郑闻而愕然。周因指郑示陈曰：“此即赋‘杨柳青青’之晚唐人矣！”三人大笑。真州程灌夫亦有句云：“春风自绿垂杨色，何事羁人怕倚楼？”

【译文】

真州郑沄中翰，字晴波，新婚后去北方，写有《留别闺中》诗：“来年春天来到江南时，杨柳青青，你不要登上高楼。”他的同年周发春舍人喜欢吟诵这句诗。当时有一位陈濂庶常，与周发春交情很好，却不认识郑。一日在公家举行的宴会上，周、郑都在，陈忽然对周说："昨天听到一句赠给妻子的诗，情致和韵味十分好，应当是出自晚唐人的手笔。"周急忙追问他是哪一句，他所称赞的原来就是郑沄的诗。郑听后十分吃惊。周因而将郑指给陈看，说："这就是赋'杨柳青青'的晚唐人啊！"三人大笑。真州程灌夫也有一句诗说："春风把杨柳都吹成了绿色，什么事情拖累着人不敢登上高楼？"

九三、兰坡诗

【原文】

高要令杨国霖兰坡，作吏三十年，两膺卓荐，傲兀不羁。与余相见端江，束修之愧，无日不至。闻余游罗浮归，乞假到鼎湖延候，以诗来迎云："山麓峰峦秀色殊，如何海内姓名无？全凭大雅如椽笔，为我湖山补道书。"（道书：海内洞天二十四，福地三十六，鼎湖不与焉。）"杖履闲从天上来，教人喜极反成猜。飞骑为报湖山桂，不到山门不许开。"及余归时，送至十里外，临别泣下，《口号》云："送公自此止，思公何时已？有泪不轻弹，恐溢端江水。"

【译文】

高要县令杨国霖，字兰坡，做官三十年，很多人都竭力举荐他，但他性格孤傲，不受拘束。杨国霖和我在端江会面，他以学生之礼相见，没有一天不来。听说我游罗浮回来了，他专门请假到鼎湖等候，写诗来迎接我："山麓峰峦秀丽可人，为何在海内却没有名气？全凭你如椽的大雅手笔，为我湖山做宣传。"（道书：海内洞天二十四，福地三十六，鼎湖不在其中。）"拄着拐杖穿着草鞋悠闲地从天而降，教人喜极过后又生了猜疑。骑马飞奔去告诉湖山的桂花，不到山门不许开花。"等到我回来的时候，杨国霖送到十里之外，临别时眼泪流了出来，写《口号》一诗说："就送到这里了，思念你的心情到什么时候才能停止呢？虽说有泪不轻弹，恐怕盛满端江水。"

卷十一

九四、不用冷僻的典故

【原文】

隐僻之典，作诗文者不可用，而看诗文者不可不知。有人诵明季杨维斗先生诗，曰："'吾宫萝蔔火，咳唾地榆生。'所用何书？"余按，《北史》："魏昭成皇帝所唾处，地皆生榆。""萝蔔火"不知所出。后二十年，阅《洞微志》："齐州有人病狂，梦见红裳女子，引入宫中，歌曰：'五灵楼阁晓玲珑，天府由来是此中。惆怅闷怀言不尽，一丸萝蔔火吾宫。'旁一道士云：'君犯大麦毒也。少女心神，小姑脾神，知萝蔔制面毒，故曰火吾宫。火者，毁也。'狂者醒而食萝蔔，病遂愈。"夏醴谷先生督学楚中，岁试题：《象日以杀舜为事》。有一生文云："象不徒杀之以水，而并杀之以火也。不徒杀之于火，而又杀之以酒也。"幕中阅文者大笑，欲批抹而置之劣等。夏公不可，曰："恐有出处，且看作何对法。"其对

比云："舜不得于母，而遂不得于父也；舜虽不得于弟，而幸而有得于妹也。"通篇文亦奇警。夏公改置一等，欲召而问之，而其人已远出矣。

余按：舜妹敤首与舜相得，载《帝王世纪》。祖君彦檄炀帝云："兰陵公主逼幸告终，不图敤首之贤，反蒙齐襄之耻。"是此典六朝人已用之。惟以酒杀舜，不知何出。又十余年，读马骕《绎史》，方知象饮舜以药酒，见刘向《列女传》。

【译文】

生冷隐晦的典故，对于写诗著文的人来说不可以用，而对于看诗文的人来说却不可以不知晓。有人诵读明末杨维斗先生的诗，说："'吾宫萝葡火，咳唾地榆生'是用了哪本书中的典故？"我在此说明一下，《北史》中记载："魏昭成皇帝吐唾液之处，地上都长出了榆树。"而"萝葡火"却不知道它的出处。二十年后，我翻阅《洞微志》，上面有"齐州有个人得了疯病，梦中看到一位穿红衣的女子，引他进入一座宫殿之中，并歌唱说：'五灵楼阁晓玲珑，天府由来是此中。惆怅闷怀言不尽，一丸萝蔔火吾宫。'旁边有位道士说:'你中了大麦毒,少女是心神,小姑是脾神,知道萝蔔能够制成麦毒,因此说火吾宫。火,就是毁的意思。'这位患了疯病的人醒来后食用萝蔔,病就好了。"夏醴谷先生在楚中督学时,年试的试题为:舜的后母之子象终日处心积虑要杀掉舜。有一位考生在文章中写道:"象先以水来淹杀舜,又用火来烧杀舜。不仅用火来烧杀舜,而且还用酒来毒杀他。"幕中阅卷的人看了不觉大笑,准备将这份试卷放入最差的等级中。夏公不答应,说道:"恐怕这篇文章有出处,且看看他是如何做对的。"他的对答是:"舜不能得到母亲的爱护,因而也就得不到父亲的爱护;舜虽然不能与弟弟友好相处,却幸而与妹妹关系融洽。"全篇文字也奇特机敏。夏公将它改放于一等之中,想将该考生召来询问,但这人已经出了远门。

我说明一下:舜的妹妹敤首与舜融洽之事载于《帝王世纪》中。祖君彦写檄文讨伐隋炀帝说:"兰陵公主最终被逼承幸,没有得到像敤首与兄弟相善的贤名,反而蒙受齐襄兄妹淫乱的耻辱。"这个典故看来六朝时的人已经用了。然而只有以酒毒杀舜之事不知出处何在。又过了十几年,我读马骕的《绎史》,才知道象拿药酒毒害舜这件事,可见于刘向的《列女传》。

九五、忙僧

【原文】

有僧见阮亭先生,自称应酬之忙,颇以为苦。先生戏云:"和尚如此烦扰,何不出家?"闻者大笑。余按:杨诚斋有句云:"袈裟未着嫌多事,着了袈裟事更多。”

【译文】

有位僧人拜见阮亭先生,说自己应酬很多,非常烦恼。阮先生开玩笑说:“和尚如此烦扰,何不出家?”听到的人大笑。我加一句,杨诚斋也有一句诗说:“没穿袈裟时嫌事多,穿了袈裟事情更多。”

九六、关于随园

【原文】

随园四面无墙，以山势高低，难加砖石故也。每至春秋佳日，士女如云；主人亦听其往来，全无遮拦。惟绿净轩环房二十三间，非相识者，不能遽到。因摘晚唐人诗句作对联云：“放鹤去寻三岛客,任人来看四时花。”

【译文】

随园的四面没有围墙,因为山势高高低低,难以砌上砖石。每逢春秋季节的好日子,聚集了如云的士人女子。主人也听任他们来来往往,不做任何遮拦。只有绿净轩的二十三间环房,不是相识的人,不能让他们随便进去。因而摘录晚唐诗句作为对联:“放鹤去寻三岛客,任人来看四时花。”

卷十二

九七、诗人笔下出美景

【原文】

人人共有之意，共见之景，一经说出，便妙。盛复初《独寐》云：“灯尽见窗影，酒醒闻笛声。”符之恒《湖上》云：“漏日松阴薄，摇风花影移。”女子张瑶英《偶成》云：“短垣延月早，病弃得秋先。”郑玑尺《雪后游吴山》云：“人来饥鸟散，日出冻云升。”顾文炜《立夏》云：“病骨先愁暑，残花尚恋春。”女子孙云凤《巫峡道中》云：“烟瘴寒云起，滩声骤雨来。”沈大成《登净慈寺》云：“花气随双屐，湖光纳一窗。”姜西溟《野行》云：“桥欹眠折苇，槛倒坐双凫[1]。”

【注释】

①凫(fú)：野鸭。

【译文】

每个人都有的想法，每个人都能看见的景色，一经诗人说出来，便觉得美妙。盛复初《独寐》说："灯燃尽的时候看见窗外树影移动，酒醒后听见笛子悠扬的声音。"符之恒《湖上》说："松树树荫很稀薄，太阳光能透射下来，轻风吹拂，花影也跟着招摇。"女子张瑶英的《偶成》说："短墙使月亮早早地照进院子，病叶最早得到秋天的消息。"郑玑尺的《雪后游吴山》说："人一走来，寻食的鸟儿便飞散了；太阳一出来，冻结的云朵便升起来了。"顾文炜的《立夏》说："病中害怕暑气的到来，残花还留恋着春天。"女子孙云凤的《巫峡道中》说："寒云像烟雾一样升起，暴雨像涨潮一样来临。"沈大成的《登净慈寺》说："花的香气随着鞋子舞动，湖光山色从窗户中也能看个够。"姜西溟《野行》说："桥上歪斜地躺着折断的芦苇，倒塌的门槛上坐着一对野鸭。"

九八、笑世间残人

【原文】

有人画七八瞽者，各执圭、璧、铜、磁、书、画等物，作张口争论状，号《群盲评古图》，其诮世也深矣！刘鸣玉题云："耳聋偏要逢人聒，足跛转喜登山滑。可惜不逢周师达，眼珠个个金篦刮。"

【译文】

有人画七八个瞎子，分别拿着圭、璧、铜、磁、书、画等物，表现出张口争论的样子，称为《群盲评古图》，这幅画讽刺世事太深刻了！刘鸣玉题诗道："耳朵聋了偏偏喋喋不休，脚跛了反而喜欢登山跌跤。可惜没有遇到周师达，眼珠子个个都被金篦刮过。"

九九、为人难

【原文】

又有人画《牵车图》，将妻子、奴婢、器具、食物，尽放车中，一枯瘦男子，牵长绳背负而走，空中一鬼，持鞭驱之。亦醒世意也。余题云："人世肩头各一担，梅花驮过杏花残。暗中何必长鞭打，就作神仙懒亦难。"

【译文】

又有人画《牵车图》，将妻子、奴婢、器具、食物全放在车中，一枯瘦的男子，牵着长绳负重前行，空中有一个鬼，拿着鞭子驱赶他。这也有

警醒世人的意思。我题诗说:“人生在世,肩上都有一副担子,开在冬天的梅花,到春天杏花开的时候就消残了。没有必要挥动长鞭驱赶他们前行,这些人就是作了神仙也不易生出偷懒的念头。”

一〇〇、一字显境界

【原文】

诗改一字,界判人天,非个中人不解。齐己《早梅》云:“前村深雪里,昨夜几枝开。”郑谷曰:“改‘几’为‘一’字,方是早梅。”齐乃下拜。某作《御沟》诗曰:“此波涵帝泽,无处濯尘缨。”以示皎然。皎然曰:“‘波’字不佳。”某怒而去。皎然暗书一“中”字在手心待之。须臾,其人狂奔而来,曰:“已改‘波’字为‘中’字矣。”皎然出手心示之,相与大笑。

【译文】

诗改一个字,境界判若天上人间,不是写诗的人不会理解这一点。齐己的《早梅》说:“前村深雪里,昨夜几枝开。”郑谷说:“要将‘几’字改为‘一’字,才能突出描写的是早梅。”齐己赶紧下拜称谢。有人作《御沟》诗“此波涵帝泽,无处濯尘缨”给皎然看。皎然说:“‘波’字不佳。”那人非常生气地走了。皎然暗中写一“中”字在手心等他。不一会儿,那人狂奔而来,说:“已改‘波’字为‘中’字了。”皎然伸出手给他看,俩人相视大笑。

一〇一、一诗感夫归

【原文】

圣人称诗“可以兴”，以其最易感人也。王孟端友某在都娶妾，而忘其妻。王寄诗云：“新花枝胜旧花枝，从此无心念别离。知否秦淮今夜月，有人相对数归期？”其人泣下，即挟妾而归。

【译文】

孔子说诗“可以兴”，这是因为它最容易使人感动。王孟端的朋友某某在京都娶了妾，因而忘记了自己的妻子。王寄诗说：“新花枝胜过旧花枝，从此没有心思想念离别的妻子。知否今晚月光下的秦淮河边，有人对着月亮屈指数着丈夫的归期？”这人读后流下了眼泪，马上带着妾回家了。

一〇二、言为心声

【原文】

尹文端公曰："言者，心之声也。古今来未有心不善而诗能佳者。《三百篇》大半贤人君子之作。溯自西汉苏李五言，下至魏晋六朝唐宋元明，所谓大家名家者，不一而足。何一非有心胸、有性情之君子哉？即其人稍涉诡激，亦不过不矜细行，自损名位而已。从未有阴贼险狠，妨民病国之人。至若唐之苏涣作贼，刘叉攫金，罗虬杀妓；须知此种无赖，诗本不佳，不过附他人以传耳。圣人教人学诗，其效可观矣。"余笑问："曹操如何？"公曰："使操生治世，原是能臣。观其祭乔太尉，赎文姬，颇有性情，宜其诗之佳也。"

【译文】

尹文端公说："言语是内心发出的声音。古往今来没有一个心不善却做得好诗的人。《三百篇》中有一大半由贤人君子所作。向上追溯到西汉苏武、李陵的五言诗，下到魏晋六朝唐宋元明，称得上大家名家的，无一不是如此。这些人哪个不是有心胸、有性情的君子呢？即使他们稍微怪异一些，也只不过是不拘小节、自损名声罢了，从来没有阴险狡诈、祸国殃民的人。至于唐朝的苏涣做贼，刘叉夺金，罗虬杀妓，要知道这种无赖，诗本来就做不好，不过是附会他人传下来罢了。圣人教他人学诗，其效果很明显呀。”我笑着问：“那么曹操的诗怎么样？”先生说：“假使曹操出生于太平世道，他应该是贤能的臣子。从他祭乔太尉、赎蔡文姬的事情看来，他也是很有性情的人，这与他的诗相吻合。”

一〇三、游仙之梦，斑竹最佳

【原文】

游仙之梦，斑竹最佳。离天台五十里，四面高山乱滩，青楼二十余家，压山而建。中多女郎，簪山花，浣衣溪口，坐溪石上。与语，了无惊猜，亦不作态，楚楚可人；钗钏之色，耀入烟云，雅有仙意。霞裳悦蒋校书，为留一宿。次日，天未明，披衣而至，云：“被四面滩声惊醒。”余赋诗云：“茅屋背山起，山峰枕上看。饭香人弛担，梦醒客闻澜。花野得真意，竹多生暮寒。青溪蒋家妹，欢喜遇刘安。”

【译文】

漫游仙境的美梦，长斑竹的地方最好。距离天台五十里的地方，四面都是高山乱滩，青楼二十多家，傍山而建。这里女郎很多，她们头戴山花，在溪边洗衣，坐在溪边的石头上。和她们说话，她们一点也不起惊恐猜疑之心，也不忸怩作态，一个个楚楚动人。她们的头钗手钏

的亮色在烟云中闪耀，给人以进入仙境的意味。霞裳喜欢一个姓蒋的女子，所以在那里留宿一晚。第二天，天没亮，他披衣而回，说：“被四面的涛声惊醒。”我赋诗一首：“茅屋背山起，山峰枕上看。饭香人弛担，梦醒客闻澜。花野得真意，竹多生暮寒。青溪蒋家妹，欢喜遇刘安。”

一〇四、趣雅风俗

【原文】

温州风俗：新婚有坐筵之礼。余久闻其说。壬寅四月，到永嘉。次日，有王氏娶妇，余往观焉。新妇南面坐，旁设四席，珠翠照耀，分已嫁、未嫁为东、西班。重门洞开，虽素不识面者，听入平视，了无嫌猜。心羡其美，则直前劝酒。女亦答礼。饮毕，回敬来客。其时，向西坐第三位者，貌最佳。余不能饮，不敢前。霞裳欣然揖而酹[①]焉。女起立侠[②]拜，饮毕，斟酒回敬霞裳，一时忘却，将酒自饮。傧相呼曰：“此敬客酒也！”女大惭，嫣然而笑，即手授霞裳。霞裳得沾美人余沥以为荣。大抵所延，皆乡城粲者，不美不请，请亦不肯来也。太守郑公以为非礼，将出示禁之。余曰：“礼从宜，事从俗，此亦亡于礼者之礼也。”乃赋《竹枝词》六章，有句云：“不是月宫无界限，嫦娥原许万人看。”太守笑曰：“且留此陋俗，作先生诗料可也。”诗载集中。

【注释】

①醑：古代的一种美酒。

②佚：美好。

【译文】

温州有一个民间风俗：新婚时有坐筵的礼节，这事我早就听说过。壬寅四月，我来到永嘉。第二天，有一户王姓人家娶妻，我前往观看。新媳妇朝南而坐，旁边设有四个席位，一些珠翠满头、光彩照人的女子，按已嫁或未嫁分坐于东西两侧。一道道门打开了，这些女子听凭任何人端详、注视，没有丝毫避嫌猜疑之心。客人如果倾慕她们的美貌，就会上前敬酒，她们也会回礼。饮完酒后，她们还会回敬来客。当时，朝西坐着的第三位女子，相貌最漂亮，我酒量不佳，不敢上前敬酒。刘霞裳欣然上前，深施一礼，将美酒一饮而尽。女子起立一拜，动作优美。喝完一杯后，满斟一杯酒回敬给他，一时忘情，自己喝下了。傧相赶快大喊道：“这是敬给客人的！”那女子很是惭愧，嫣然一笑，马上将杯子递给霞裳。霞裳为能够喝上美人喝剩的酒而荣幸。这所请的大都是乡城中漂亮的女子，不漂亮的就不去请了，请了也不肯来。郑太守认为这种风俗习惯有悖礼仪，想要颁布告示严禁。我说："礼仪要合乎时宜，事情要合乎风俗，这也是礼仪中已消亡的礼仪。"于是我就赋得《竹枝词》六章，其中有一句说："不是月宫无界限，嫦娥原许万人看。"太守笑着说："暂且留住这个习俗，作为先生诗文的素材吧。"这几句诗收集在集子里。

卷十三

一〇五、不与考据家论诗

【原文】

考据家不可与论诗。或訾余《马嵬》诗曰："'石壕村里夫妻别，泪比长生殿上多。'当日，贵妃不死于长生殿。"余笑曰："白香山《长恨歌》：'峨嵋山下少人行。'明皇幸蜀，何曾路过峨嵋耶？"其人语塞。然太不知考据者，亦不可与论诗。余《钱塘江怀古》云："劝王妙选三千弩，不射江潮射汴河。"或訾之曰："宋室都汴，不可射也。"余笑曰："钱镠射潮时，宋太祖未知生否。其时都汴者何人，何不一考？"

【译文】

不可跟考据家论诗。有考据家指责我的《马嵬》诗曰："'石壕村里夫妻别，泪比长生殿上多。'当时杨贵妃并不是死于长生殿。"我笑着说："白居易的《长恨歌》：'峨嵋山下少人行。'唐明皇去四川，何曾路过峨嵋山呢？"那人无言以对。然而对于那些太不懂得考据的人，也不

可与他们论诗。我的《钱塘江怀古》说："劝王妙选三千弩，不射江潮射汴河。"有人指责说："宋朝的都城在汴梁，不可以射呀。"我笑着说："钱镠射钱塘潮时，还不知宋太祖出生没有。那时定都汴京的是哪位，为何不考证一下呢？"

一〇六、古今幕僚

【原文】

古名士半从幕府出，而今则读书不成，始习幕，此道渐衰。犹之古称秀才，杨素以为惟周、孔可以当之。非若今之读时文诸生也。康熙、雍正间，督抚俱以千金重礼，厚聘名流。一时如张西清、范履渊、潘荆山、岳水轩等，皆名重一时。范诗最清，无从访觅。只记西清《过浔阳》云："浔阳江上客，一岁两经过。去日梅花好，归时枫叶多。橹声摇夜月，帆影落晴波。为向山僧问：尘容添几何？"

【译文】

古代的名士大半从幕府中产生,而现在的名士则是读书没读出成绩,才开始做幕僚的,名士之道渐渐衰弱了。正如古代被称之为秀才的人,杨素认为只有周公、孔子可担当,而不是现在那些读八股的儒生。康熙、雍正年间,督抚都以千金重礼,厚聘名流做自己的幕僚。一时间,像张西清、范履渊、潘荆山、岳水轩等人,名气都很大。范履渊的诗最清新,没法找到。只记得张西清的《过浔阳》诗:"我是浔阳江上往来的行人,一年要经过两次。去时梅花开得正好,回来的时候枫叶红了很多。摇船的桨声在夜色中响起,船帆的影子照映在江面上。因而向山僧问询:岁月的烟尘在脸上增添了多少痕迹?"

一〇七、唐诗方言

【原文】

唐人诗中,往往用方言。杜诗:"一昨陪锡杖。""一昨"者,犹言昨日也。王逸少帖:"一昨得安西六日书。"晋人已用之矣。太白诗:"遮莫枝根长百尺。""遮莫"者,犹言尽教也。干宝《搜神记》:"张华以猎犬试狐。狐曰:'遮莫千试万虑,其能为患乎?'"晋人亦用之矣。孟浩然诗:"更道明朝不当作,相期共斗管弦来。""不当作"者,犹言先道个不该也。元稹诗:"隔是身如梦,频来不为名。""隔是"者,犹云已如此也。杜牧诗:"至竟薛亡为底事。""至竟"者,犹云究竟也。

【译文】

唐代人的诗中，往往用方言，杜甫诗："一昨陪锡杖。""一昨"就是"昨日"的意思。王逸少的字帖上有："一昨得安西六日书。"可见晋朝人早已使用过这个词。李白有诗："遮莫枝根长百尺。""遮莫"就是"尽教"的意思。干宝《搜神记》中有："张华用猎犬试探狐狸，狐狸说：'你尽管想尽办法试探我，我又能造成什么危害呢？'"这个词晋朝人也使用过。孟浩然有诗："再说明早不当作，相约一同来比试管弦音乐。""不当作"是指先说个不该。元稹在诗中说："隔是好像身处梦境中，频繁地出现并不是为了名利。""隔是"就像是说"已经如此"。杜牧的诗中写道："至竟薛君之死是为了什么事情。""至竟"就像是说"究竟"啊。

一〇八、一词多解

【原文】

《古乐府》："碧玉破瓜时。"或解以为月事初来，如瓜破则见红潮者，非也。盖将瓜纵横破之，成二"八"字，作十六岁解也。段成式诗："犹怜最小分瓜日。"李群玉诗："碧玉初分瓜字年。"此其证矣。又诗中用"所由"者，盖本《南史·沈炯传》。文帝留炯曰："当敕所由，相迎尊累。"一解以为州县官，一解以为里保。又，和凝诗："蝤蛴[1]领上诃梨子。"人多不解。朱竹

垞曰:“诃梨,妇女之云肩也。”吕种玉《言鲭》云:“禄山爪伤杨妃乳,乃为金诃子以掩之。或云即今之抹胸。”

【注释】

①蝤蛴(qiú qí):天牛,桑牛的幼虫。

【译文】

《古乐府》中有这样一句诗:“碧玉破瓜时。”有人解释为女子月经初潮,就像西瓜破开后就见到了红色的瓜瓤,这么理解不对。我想大概是指将西瓜横竖切开,成两个“八”字形,解作十六岁的意思。段成式有句诗:“犹怜最小分瓜日。”李群玉在诗中说:“碧玉初分瓜字年。”这些都是证据。另外诗中用到“所由”一词,大概是源于《南史·沈炯传》。文帝挽留沈炯说:“当敕所由,相迎尊累(我会命令地方官,迎接你和随从)。”一种解释是指州官县官,另一种解释是指乡镇里保。此外,和凝在诗中说:“蝤蛴领上诃梨子。”人们对此大多不太理解。朱竹垞说:“诃梨,是妇女们所佩戴的披肩。”吕种玉在《言鲭》中说:“禄山爪伤杨妃乳,乃为金诃子以掩之。‘诃’或是指今天所说的抹胸。”

一〇九、诗中作料谈

【原文】

余尝谓鱼门云："世人所以不如古人者，为其胸中书太少。我辈所以不如古人者，为其胸中书太多。昌黎云：'非三代、两汉之书不敢观。'亦即此意。东坡云：'孟襄阳诗非不佳，可惜作料少。'施愚山驳之云：'东坡诗非不佳，可惜作料多。诗如人之眸子，一道灵光，此中着不得金屑，作料岂可在诗中求乎？'予颇是其言。或问：'诗不贵典，何以少陵有读破万卷之说？'不知'破'字与'有神'三字，全是教人读书作文之法。盖破其卷，取其神；非囫囵用其糟粕也。蚕食桑而所吐者丝，非桑也；蜂采花而所酿者蜜，非花也。读书如吃饭，善吃者长精神，不善吃者生痰瘤。"

【译文】

我曾经对程鱼门说："现代的人之所以比不上古人，是因为他们胸中所读的书太少。我们这代人之所以比不上古人，是因为胸中所读的书太多。韩愈说：'不是夏商周三代及西汉东汉的书我不敢去阅读。'这话也就是讲的这个意思。苏东坡说过：'孟浩然的诗不是不好，可惜就是其中的典故较少。'施愚山反驳他说：'苏东坡的诗并不是不好，可

惜诗中的典故太多。诗像人的眼睛，有如一道灵光，这里面容不得金银，又怎么能在诗中寻求典故作料呢？’我很赞同施愚山的话。有的人也许会问：‘诗不以引经据典为好，为什么杜甫还会有读破万卷书，下笔如有神的说法呢？’他是不知道这‘破’与‘有神’三字，全是在教人如何读书做文章。大概是说读透书卷，汲取其中的精神灵光，而不是要囫囵吞枣连糟粕也一同汲取。蚕吃桑叶吐出来的是丝，而不是桑叶；蜜蜂采花所酿造的是蜜，而不是花。读书就像吃饭，善于吃的人长精神，不善于吃的人生痰瘤。”

一一〇、妙在空灵

【原文】

严冬友曰：“凡诗文妙处，全在于空。譬如一室内，人之所游焉息焉者，皆空处也。若窒而塞之，虽金玉满堂，而无安放此身处，又安见富贵之乐耶？钟不空则哑矣，耳不空则聋矣。”范景文《对床录》云：“李义山《人日诗》，填砌太多，嚼蜡无味。若其他怀古诸作，排空融化，自出精神。一可以为戒，一可以为法。”

【译文】

严冬友说：“大凡诗文的奇妙之处，都在于空灵。就像一屋子人之所以自由活动和休息，都在于有空间。如果把屋子塞得满满的，即使金玉满堂，但却无处容身，又从哪里能看得出富贵的快乐呢？钟如果不空就会哑，耳如果不空就会聋。”范景文《对床录》说：“李义山《人日诗》，里面的典故材料堆砌太多，味同嚼蜡，索然无味。如果像其他的怀古作品那样，把典故材料排开且融会贯通，自然而然就会使诗文增添神韵。一方面可以作为教训，一方面可以作为经验。”

一一一、三揖学艺

【原文】

蒋戟门观察招饮，珍馐罗列，忽问余：“曾吃我手制豆腐乎？”曰：“未也。”公即着犊鼻裙，亲赴厨下。良久，擎出，果一切盘餮尽废。因求公赐烹饪法。公命向上三揖，如其言，始口授方。归家试作，宾客咸夸。毛俟园广文调余云：“珍味群推郇令庖，黎祈[1]尤似易牙调。谁知解组陶元亮，为此曾经三折腰。”

【注释】

①黎祈：祭祀时用的米。

【译文】

观察官蒋戟门请我去饮酒，酒席上摆满了山珍海味，他突然问我说："你可曾吃过我亲手烹制的豆腐？"我说："没有。"他马上穿上牛鼻似的围裙，亲自到厨房烹饪。过了许久，他端一盘豆腐出来，果然餐桌上摆着的其他菜我们都不想再吃了。于是我向蒋戟门求教烹饪豆腐的方法。他让我拱手向上行了三个礼，我照做了，他就开始口授烹饪方法。我回家试着制作，宾客都夸奖。广文官毛俟园开玩笑说："做饭的手艺当推郇令，祭祀时用的米好似易牙调制的。谁知道陶渊明解职归来，为学这门手艺还曾经折腰三次。"

一一二、人各有趣

【原文】

唐太宗云："泥龙竹马，儿童之乐也；翠羽明珠，妇女之乐也。"余亦云："急流勇退，后起

有人，士大夫之乐也。”今之人，惟扬州秦西岩先生以观察致仕，子又继入翰林，宜其诗之自然验宕也。《南庄题壁》云：“郭绕村烟水绕堤，数椽屋可托卑栖。百年老树留花坞，二顷荒田杂菜畦。庾信小园枝下上，王珣别墅涧东西。谁云巢、许买山隐，家在城南认旧溪。”“策杖登楼眼界宽，邗沟一水迅奔湍。天边漕运梯云上，江外山光带雾看。南北塔高双鹄立，东西桥锁九龙蟠。往来多少风帆急，孤棹[①]何如斗室安？”

【注释】

①棹(zhào)：船桨。

【译文】

唐太宗说过：“捏泥龙骑竹马，是儿童们的乐趣；穿戴漂亮服饰，是妇女们的乐趣。”我也曾说过：“急流勇退，后继有人，这是读书做官的乐趣。”现今的人，只有扬州的秦西岩先生以观察官的身份辞职退休，儿子又继承了他的事业选入翰林院。因此他的诗自然飘逸是在情理之中。他的《南庄题壁》中说：“炊烟缭绕村镇，河水围绕堤岸，几间小屋就可作为我的栖身之所，百年的老树下留有一片种花的园地，二顷荒田杂种着几畦青菜。庾信的小园和我家只有一树之隔，王珣的别墅与我家隔涧东西相望。谁说巢父、许由买下深山隐居？他们家就在城南，我仍记得以前流经他们家的小溪。”“拄着拐杖登楼远眺，只见远处邗沟中的水流湍急。天边运粮的船只仿佛在云梯漂浮，江外更远处的山色风光看上去就像是烟雾笼罩。一南一北的两座塔高耸入云，东西走向的桥上雕刻着九条盘曲的龙。江面上来来往往的船只，在急流中驶过，哪里比得上我的小屋安宁？”

卷十四

一一三、编辑七病

【原文】

选家选近人之诗，有七病焉；其借此射利[1]通声气者，无论矣。凡人全集，各有精神，必通观之，方可定去取。倘捃摭[2]一二，并非其人应选之诗，管窥蠡测[3]：一病也。《三百篇》中，贞淫正变，无所不包。今就一人见解之小，而欲该[4]群才之大，于各家门户源流，并未探讨，以己履为式，而削他人之足以就之：二病也。分唐界宋，抱杜尊韩，附会大家门面，而不能判别真伪，采撷精华：三病也。动称纲常名教，箴刺褒讥，以为非有关系者不录；不知赠芍采兰，有何关系？而圣人不删。宋儒责蔡文姬不应登《列女传》；然则《十七史》列传，尽皆龙逄、比干

乎？学究条规，令人欲呕：四病也。贪选部头之大，以为每省每郡，必选数人，遂至勉强搜寻，从宽滥录：五病也。或其人才力与作者相隔甚远，而妄为改窜，遂至点金成铁：六病也。徇一己之交情，听他人之求请：七病也。末一条，余作《诗话》，亦不能免。

【注释】

①射利：追逐财利。

②捃摭(jùn zhí)：采集、收集。

③蠡(lí)测：用葫芦瓢测量海水，比喻见识浅薄，不知高深。

④该：具备，包括。

【译文】

选家编选近代人的诗歌作品时，常犯七个毛病，那些想借此赚钱扬名的人不包括在内。大凡诗人的全集，都有各自的神韵特色，必须通读纵览，才可确定取舍；倘若从诗人全集中选取的几首诗不是他的代表作，这就好比从竹管中看天、用瓢来量海水，这便是第一个毛病。《诗经》的三百多首诗中，忠于原则、放荡不羁、态度端正、变化多端等多种类型无所不包，如今就凭一个人的短浅见解去审评那众多才子的广博才华，对于各门各派的源流演变，也没有加以探讨，以自己的标准为蓝本，削他人的脚来套它，这就是第二个毛病。将唐诗、宋词截然分开，推崇杜甫或是尊重韩愈，刻意去附会一些诗词大家，而不能判别真假并从中汲取精华，这是第三个毛病。动不动就拿出纲常伦理来，对诗作或劝勉，或褒扬，或讽刺，以为与纲常伦理无关的就不收录。他们不知道，赠送芍药、采摘兰花与此有什么关系。而古代圣人们对这些诗也不加以删除。宋代的儒生指责不应该把蔡文姬列入《列女传》，但在《十七史》的列传中，哪能全都是像关龙逢、比干那样的忠烈之臣呢？这些学究们的条规令人作呕。这就是第四个毛病。贪图编选大部头，认为全国每个省每个郡的诗人都必须选入几个人，以至于勉强搜罗，放宽标准滥录一气，这是第五个毛病。有的编辑，才力与作者相差甚远，却对原诗胡乱修改，以致点金成铁（把一首好诗改成了差诗），这是第六个毛病。为了自己的交情，听任他人的求情而选录，这是第七个毛病。最后这一条，我作《诗话》时，也未能避免。

一一四、诗带桀骜之气者非良士

【原文】

凡诗带桀骜之气，其人必非良士。张元《咏雪》云：“战罢玉龙三百万，败鳞残甲满天飞。”《咏鹰》云：“有心待捉月中兔，更向白云高处飞。”韩、范为经略，嫌其投诗自媒，弃而不用。张乃投元昊，为中国患。后岳武穆驻兵之所，江禁甚严。有毛国英者，投诗云：“铁锁沉沉截碧江，风旗猎猎驻桅樯。禹门纵使高千尺，放过蛟龙也不妨。”岳公笑曰：“此张元辈也。速召见，以礼接之。”

【译文】

大凡诗中带有桀骜不驯之气的，作者一定不是什么好人。张元《咏雪》中写道：“与三百万玉龙打完仗，只见残败的鳞甲满天飞舞。”《咏鹰》中写道：“有人去捉月宫中的玉兔，于是向白云更高处飞升。”当时韩琦、范仲淹为经略使，嫌他呈送的诗自吹自擂，于是没有任用他。张便投靠了西夏的元昊，成为北宋的祸患。后来，在岳飞率兵驻扎的地方，对江面严加封锁，有一个叫毛国英的人前来献诗说：“沉重的铁锁将绿色的江面堵截，战船的桅杆上，旌旗在风中猎猎响起。即使是禹门有千尺高，从它上面放下蛟龙也难以冲破严密封锁。”岳飞笑着说：“这个人一定是张元一类的人，赶快召见他，对他以礼相待。”

一一五、不可轻七古

【原文】

余常劝作诗者，莫轻作七古。何也？恐力小而任重，如秦武王举鼎，有绝膑之患故也。七古中，长短句尤不可轻作。何也？古乐府音节无定而恰有定，恐康昆仑弹琴，三分琵琶，七分筝弦，全无琴韵，故也。初学诗，当先学古风，次学近体，则其势易。倘先学近体，再学古风，则其势难。犹之学字者，先学楷书，后学行草，亦是一定之法。杭堇浦先生教人多作五排，曰：“五排要对仗，不得不用心思。要典雅，不得不

观书史。但专作五言八韵之赋得体，则终身无进境矣。”

【译文】

我常常劝告作诗的人，不要轻易作七言古诗，什么原因呢？唯恐他们才力不够而任务重大，如同秦武王举鼎，有把膑骨折断的危险。七言古诗中，尤其是长短句不可轻易作，为什么呢？古乐府音节看似无规律，实际上有规律可循。轻易去写，恐怕像康昆仑弹琴，三分像琵琶，七分像筝弦，完全没有琴韵。开始学作诗，应当先学古代的民歌，再学近体诗，这样就容易入手一些。倘若先学近体，再学古代民歌，就难以学成。就好像学写字的人，先学楷书，后学行草，也是一种固定的办法。杭堇浦先生教导他人多作五言排律，他说：“五言排律要求对仗，不得不用心思。要做到典雅，不得不看书读史。但是只作五言八韵中的赋得体，则一辈子也不会进入佳境。”

一一六、名声之说

【原文】

有中丞某，自称平生不好名。余戏之曰：“人之所以异于禽兽者，以其好名也。孔子曰：‘君子去仁，恶乎成名？’又曰：‘君子疾没世而名不称焉。’大圣人尚且重名如此，后世人不好名而别有所好；则鄙夫事君，无所不至矣。”屈悔翁云：“才子多贪色，神仙不好名。”不如司空表圣曰：“名能不朽轻仙骨，理到忘机近佛心。”高东井《赠方子云》曰：“从来贫士贪留客，未有庸人解好名。”

【译文】

有某中丞，自称平生不重名声。我开玩笑说：“人之所以不同于禽兽，正是因为他们喜好名声。孔子说：‘君子摒弃仁义，难道是厌恶成名吗？’又说：‘君子最怕人死了却没有名声流传于世。’像孔子这样的大圣人尚且看重名声，后世人不喜好名声而另有所好，就会像卑鄙的人侍奉君主，什么事情都干得出来。”屈悔翁在诗中说道：“才子们大多好色，神仙不重名声。”这句话不如司空表圣说的：“名声能使人不朽于世，以至连神仙都瞧不起，追求真理到了忘记俗事的时候就靠近佛心了。”高东井在《赠方子云》诗中说：“穷人向来都爱挽留客人，却没有庸俗的人能够理解为何要喜好名声。”

一一七、作诗能速不能迟亦是病

【原文】

作诗能速不能迟，亦是才人一病。心余《贺熊涤斋重赴琼林》云：“昔着宫袍夸美秀，今披鹤氅[1]见精神。”余曰：“熊公美秀时，君未生，何由知之？赴琼林不披鹤氅也。”心余曰：“我明知率笔，然不能再构思。先生何不作以示我？”余唯唯。迟半月，成七绝句，心余以为佳。余乃出篓中废纸示之，曰：“已七易稿矣。”心余叹曰：“吾今日方知先生吟诗刻苦如是，果然第七回稿胜五六次之稿也。”余因有句云：“事从知悔方徵学，诗到能迟转是才。”

【注释】

①氅(chǎng)：用鸟羽制成的外衣。

【译文】

作诗能写得快而不能写得慢，也是写诗人的一个毛病。心余的《贺熊涤斋重赴琼林》说道：“过去穿着官服可称得上秀美，今天披着鹤氅也见精神。”我说：“熊公秀美时，你没有出生，怎么知道这些事？赴琼林根本没披鹤氅。”心余说：“我明明知道写得有些轻率，然而不能再构思了。先生何不作一首给我看？”我答应了。过了半月，写成了七言绝句，心余认为写得好。我就拿出纸篓里的废纸给他看，说："已经七易其稿了。"心余感叹说："我今天才知道先生作诗如此刻苦，果然第七次写成的稿子比第五次和第六次的要好。"因此我说了这样一句："事情知道后悔才会吸取教训，写诗到了能慢的境地反而显出才气。"

一一八、诗文之道关天分

【原文】

诗文之道，全关天分。聪颖之人，一指便悟，霞裳初见余时，呈诗十余首。余不忍拂[①]其意，尽粘壁上。渠亦色喜。遂同游天台，一路唱和，恰无一言及其前所呈诗也。往反两月，霞裳归家，急奔园中，取壁上诗，撕毁摧烧之，对余大笑。余亦戏作桓宣武语曰："可儿！可儿！"

【注释】

①拂：违逆，不顺。

【译文】

写诗作文的秘诀，完全取决于个人的天分。聪颖的人，一经指点就马上领悟。霞裳初次会见我时，呈上十多首诗。我不忍心扫他的兴致，就将它们全粘贴在墙壁上。他也面露喜色。后来我们一同游览天台，我和他一路上作诗唱和，却没有一句话提及他呈给我的诗。此次出游来去过了两个月，一回家，霞裳急忙跑到园中，将墙壁上的诗取下来，撕烂烧毁了，还对我大笑。我也开玩笑地学着桓宣武的话说：“孺子可教！孺子可教！”

一一九、才子尹三郎

【原文】

尹氏昆季皆能诗，而推三郎两峰为最。一日，文端公退朝，召两峰曰：“今日我惫矣。皇上命和《春雨诗》，我不及作，汝速拟一稿，我明早要带去。”两峰构成送上，公已酣寝。黎明，公盛服将朝，诸公子侍立阶下，两峰惴惴，虑有嗔喝。忽见公向之拱手，曰：“拜服！拜服！不料汝诗大好。”回头呼婢曰：“速煨我所吃莲子，与三哥儿吃。”两峰大喜过望。四公子树斋笑曰：“我今日却又得一诗题。”诸公子问何题。曰：“《见人吃莲子有感》。”（两峰名庆玉。）

【译文】

尹家几个兄弟都能写诗，其中数三子两峰写得最好。一天，文端公退朝后，把两峰叫过去说：“今天我太累了，皇上命我应和《春雨诗》，我来不及作，你快拟一稿，我明天早上带去。”两峰写成送上，文端公已经酣睡。第二天黎明，文端公盛装上朝，各位公子站在台阶上伺候，两峰惴惴不安，担心受到父亲呵责。忽见文端公向他拱手说：“佩服！佩服！想不到你的诗写得这么好。”回头叫唤奴婢说：“赶快把我吃的莲

子煨给三儿吃。”两峰大喜过望。四公子树斋笑着说：“我今天却是得到了一个诗题。”诸公子问是什么诗题。他说：“《见人吃莲子有感》。”(两峰名叫庆玉。)

一二〇、少而精

【原文】

某画《折兰小照》，求题七古。余晓之曰：“兰为幽静之花，七古乃沉雄之作，考钟鼓以享幽人，与题不称。若必以多为贵，则须知米豆千甑[1]，不若明珠一粒也。刀枪杂弄，不如老僧之寸铁杀人也。世充万言，何如阮咸三语？成王冠，周公使祝雍作祝词曰：‘达而勿多也。’此贵少之证也。若夫谢艾虽繁不可删，王济虽少不能益，则各极其妙，亦在相题行事耳。唐人句云：'药灵丸不大，棋妙子无多。'"或问："如先生言，简固佳乎？"余曰："是又不可以有意为也。宋子京修《唐书》，有意为简，遂硬割字句，几于文理不通。顾宁人摘出数条。余摘百十余条，载《随笔》中。"

【注释】

①甔(dān)：陶制成的形似坛子的容器。

【译文】

某人画了一幅《折兰小照》，请我题一首七言古诗。我向他解释说："兰花是雅致宁静的花，七言古诗是沉毅雄浑的作品，就像用敲击钟鼓来款待性情幽雅的人一样，可以说是文不对题。如果一定要以数量多为贵的话，那么须知即使是一千坛大米也比不上一粒明珠珍贵。把刀和枪混夹着使用，还不如老和尚手中的一根铁针同样可以置人于死地。世充写起文章来数万言，哪里比得上阮咸的三言两语？周成王登基称王时，周公命祝雍作庆贺词说：'意思通达但不要多写。'这就是少反而贵重的例子。假如谢艾的文章字数虽然繁多但不能再进行删除，王济的文章字数虽少但无法再添加，那么他们的文章各自恰到好处，也在于针对题目而行文的缘故。唐朝人的一首诗说：'药灵验但药丸却不大，棋下得妙却不一定要很多子。'"有人问我说："按照先生所说，文字简少就一定是好文章吗？"我回答说："是这样，但这一点是不可以故意做到的。宋子京在修纂《唐书》时，想把它编得简略些，便生硬地删除字句，几乎导致文字不通顺。顾宁人曾从中摘录过几条，我也摘录了百十条，收藏在《随笔》中。"

一二一、曹子妙答

【原文】

钱塘令曹江庐明府，有子名一熊，乳名顺生，聪颖异常，有李邺侯、晏元献之风，对客挥毫。《赋秋声》云："西风飒飒日相摧，桐叶飘摇满绿苔。最爱秋霜添逸韵，树中传出一声来。"其时，曹公方逐土娼。客问："娼应逐否？"笑曰："好事者为之也。"客又问："汝想作官否？"曰："要作，又不要作。"问："何也？"曰："学而优则仕，学而不优则不仕。"问："作官可要钱否？"曰："要钱，又不要钱。"问："何也？"曰："取之而燕民悦，则取之；取之而燕民不悦，则不取。"

【译文】

钱塘县令明府曹江庐，有个儿子叫曹一熊，乳名叫顺生，聪颖异常，有李邺侯、晏元献的风范，能当着客人的面挥毫作诗。《赋秋声》诗："西风飒飒秋日相摧，桐叶飘摇满阶绿苔。最爱秋霜平添逸韵，树中传出一声鸟鸣。"当时，曹公正在驱逐当地的土妓。客人问顺生："娼妓应该被驱赶吗？"他笑着说："多管闲事的人才做这种事。"客人又问："你是否想做官？"他回答说："想做，又不想做。"客人问："为什么？"他回答说："学业有所成就做官，学业无所成就不做官。"问："做官是否想要钱？”回答说：“要钱，又不要钱。”问：“什么原因？”答：“获取钱财燕地百姓高兴，就要；获取钱财燕地百姓不高兴，就不要。”

一二二、诗之性情

【原文】

近见作诗者好作拗语以为古，好填浮词以为富，孟子所谓“终身由之而不知其道”者也。朱竹君学士督学皖江，来山中论诗，与余意合。因自述其序池州太守张芝亭之诗，曰：“《三百篇》专主性情。性情有厚薄之分，则诗亦有浅深之别。性情薄者，词深而转浅；性情厚者，词浅而转深。”余道：“学士腹笥最富，而何以论诗之清妙若此？”竹君曰：“某所论，即诗家唐、宋之所由分也。”因诵芝亭《过望华亭》云：“昨夜望华亭，未睹九峰面。肩舆复匆匆，流光如掣电。当境不及探，过后心逾恋。”“九叠芙蓉万壑深，登临不到几沉吟。何当直上东峰宿，海月天风夜鼓琴。”又，《江行》云：“犬吠人归处，灯移岸转时。”《端阳》云：“看人悬艾虎，到处戏龙舟。”《太白楼》云：“何时江上无明月，千古人间一谪仙。”《同人自齐山泛舟》云：“聊以公余偕旧友，须知兴到即新吾。”皆极浅语，而读之有余味。昔人称陆逊意思深长，信然。芝

亭字仲谟，名士范，陕西人，今观察芜湖。其长君汝骧亦能继声继志。《题署中小园》云：“风吹花气香归砚，月过松心凉到书。”《将往邳州》云：“此去正过桃叶渡，归来不负菊花期。”又《华盖寺》云：“曲径松遮洞，岩深寺隐山。”皆清雅可传。

【译文】

近来看见一些作诗的人，爱用拗口晦涩的词语，以为这样做具有古人的风格；喜好用浮华虚美的辞藻，自以为是学富五车，这就是孟子所说的“一生都不能明白真正原因”的人。学士朱竹君在皖江主管学政时，到山中来与我谈论诗学，和我意趣相投。他给我讲述了他为池州太守张芝亭的诗作的序，他说：“《诗经》中的诗尤其注重性情。性情有宽厚和浅薄之分，所以诗作也有浅显与深奥的区别。性情浅薄的诗，词句浮华看似深奥却含义肤浅；性情宽厚的诗，词句浅显易懂但含义深刻。”我说道：“学士你学识渊博，难得在评估诗学上竟如此清妙。”

朱竹君说:“我所谈到的,正是区分唐宋两派诗家的依据。”他又背诵了张芝亭的《过望华亭》诗,诗中说:“昨夜途经望华亭,没能欣赏九华山的美景。我坐的轿子走得很快,时光飞逝有如风驰电掣。经过而不能亲身前往,事后越发地思念它。”“九华山像盛开的荷花沟壑深有万丈,苦于攀登不上,几次暗自沉吟思索。如何才能径直登上东峰小宿,夜晚面对云海清月在凉风习习中弹响瑶琴。”还有,张芝亭在《江行》诗中说:“人回归的地方总有狗叫声。江水转弯的时候,岸上的灯火也跟着户户都在移动。”有一首《端阳》说:“看见人人都插着辟邪的艾蒿,到处都是人们坐船游戏的情景。”他写了一首《太白楼》诗:“到何时江面上才能没有明月,李白是许多年来被贬下凡的神仙。”还有一首《同人自齐山泛舟》写道:“等办完事以后,我和过去的老朋友一起坐船,要知道兴致上来时,我们就像换上了新容貌。”这些诗都是用朴实的词语,但意味深长。古时候的人称赞陆逊的诗,的确是这样啊。张芝亭字仲谟,名士范,是陕西人,现担任芜湖观察。他的大儿子汝骧也继承他的诗风并且成了名。他在《题署中小园》中写道:“花香被风吹到砚台旁,月亮照在松树上,我读书时感到阵阵凉气。”他写了一首《将往邳州》:“去的路上经过桃叶渡,回来不会错过菊花开的时间。”他的《华盖寺》诗写道:“蜿蜒的小路上,茂密的松林遮住了洞口,岩边高高的寺庙在群山中若隐若现。”这些诗清新隽永,应流传到后世。

卷十五

一二三、“勾栏”考

【原文】

今人动称“勾栏”为教坊。《甘泽谣》辨云：“汉有顾成庙，设勾栏以扶老人。非教坊也。”教坊之称，始于明皇，因女伎不可隶太常，故别立教坊。王建《宫词》、李长吉《馆娃歌》，俱用“勾栏”为宫禁华饰。自义山《倡家诗》有“帘轻幕重金勾栏”之词，而“勾栏”遂混入妓家。

【译文】

现在的人动辄称“勾栏”为教坊。《甘泽谣》辨正说：“汉朝有顾成庙，设置勾栏以供老人扶持，并不是教坊。”教坊这个称谓起始于唐明皇时期，因为歌女不能隶属太常管理，因此另外设立教坊。王建《宫词》、李贺《馆娃歌》，都用“勾栏”形容皇宫的华丽装饰。自李商隐《倡家诗》有“帘轻幕重金勾栏”的词，“勾栏”就开始混迹妓院了。

一二四、“八座”考

【原文】

杜诗有“起居八座太夫人”之句。今遂以八人扛舆者为八座。按宋、齐所云“八座”者：五尚书、二仆射、一令。《唐六典》曰：“后汉以令、仆射、六曹尚书为八座。今以二丞相、六尚书为八座。唐不置令。”考《宋书》、《六典》之言，是“八座”者，八省之官，非八人舁之而行之谓也。南齐王融曰：“车前无八驺，何得称丈夫？”是则有类今所称“八座”之说矣。

【译文】

杜甫的诗中有“太夫人平常要坐八抬大轿”的句子。现在就把八人抬的轿子称为八座。按：南朝宋、齐所说的“八座”是指：五位尚书、二位仆射、一位尚书令。《唐六典》有：“后汉以尚书令、仆射、六部尚书称为八座。现在把二位丞相、六位尚书称为八座。唐代不设置尚书令。”据《宋书》、《六典》记载,“八座”是指八省的官职,不是八人抬轿而行的称谓。南齐的王融说:“车前若是没有八匹骏马,怎么能称得上是大丈夫?”此处和今天所说的“八座”意思类似。

一二五、“老泉”考

【原文】

“老泉”者,眉山苏氏茔有老人泉,子瞻取以自号。故子由《祭子瞻文》云:“老泉之山,归骨其旁。”而今人多指为其父明允之称,盖误于梅都官有《老泉诗》故也。

【译文】

“老泉”这个词的来源,是因为眉山苏氏坟地旁有一眼老人泉,苏轼将它用作自己的名号。所以苏辙的《祭子瞻文》中有:“老泉之山,归骨其旁。”而现在的人大多以“老泉”作为其父苏洵的名号,大概错误出于梅都官的《老泉诗》的缘故。

一二六、贵在考证

【原文】

诗赋为文人兴到之作,不可为典要。上林不产卢橘,而相如赋有之。甘泉不产玉树,而扬雄赋有之。简文《雁门太守行》而云："日逐康居与月氏。"萧子晖《陇头水》而云："北注黄河，东流白马。"皆非题中所有之地。苏武诗，有"俯看江汉流"之句。其时武在长安，安得有江汉？《尔雅》："山有穴为岫。"谢玄晖诗："窗中列远岫。"徐浩文："孤岫龟形。"皆误指为山峦。刘琨《答卢谌》诗："宣尼悲获麟，西狩涕孔丘。"宣尼即孔丘也。谢朓《秋怀》诗："虽好相如色，不同长卿慢。"长卿即相如也。《康乐》："扬帆采石华，挂席拾海月。""扬帆"即"挂席"也。孟浩然："竹间残照入，池上夕阳微。""夕阳"即"残照"也。使后人为之，必有"关门闭户掩柴扉"之诮矣。杜少陵《寄贾司马》诗："诸生老伏虔。"东汉伏虔并不老。所云伏虔者，伏生也，伏生不名虔。《示僚奴阿奴》云："曾惊陶侃胡奴异。"胡奴，侃之子，非奴仆也。"不闻夏殷兴，中自诛褒妲"，褒、妲是殷周人，与夏无干。

杜诗："乘槎消息近，无处问张骞。"此即世俗所传张骞乘槎事也。然宋之问诗云："还将织女支机石，重访成都卖卜人。"是明用《荆楚岁时记》织女教问严君平事。独不知君平为王莽时人，张骞乃武帝时人，相去远矣！

汪韩门云："《檀弓》：'齐庄公袭杞。杞梁死焉。其妻迎其柩于路而哭之哀。'《孟子》：'杞梁妻善哭其夫，而变国俗。'《左传》但言杞妻辞齐侯之吊，而不言哭。《檀弓》、《孟子》虽言哭，未言崩城事也。《说苑立节篇》云：'其妻闻夫亡而哭，城为之阤。'《列女传》云：'枕其夫之尸于城下，哭十日而城崩。'亦未言长城也。长城筑于齐威王时，去庄公百有余年，而齐之长城，又非秦始皇所筑长城。唐释贯休乃为诗曰：'秦人筑土一万里，杞梁贞妇啼呜呜。'则竟以杞梁为秦时筑城之人，而其妻所哭崩，乃即秦之长城矣。"

俗传梁灏八十登科，有"龙头属老成"七言诗一首。《黄氏日抄》、《朝野杂记》俱驳正之，以为灏中状元时，年才二十六耳。余按《宋史》灏本传：雍熙二年举进士，赐进士甲科，解褐，大名府观察推官。景德元年卒，年九十二。雍熙至景德相隔只十余年，而灏寿已九十二，则八十登科之说，未为无因。

【译文】

诗歌辞赋是文人兴致所至而作的，不可以把它们用作典故。上林不出产卢橘，但司马相如的《上林赋》中却说那里有。甘泉不出产玉树，但扬雄的赋中却说那里有。简文帝《雁门太守行》里说："日逐康居与月氏。"萧子晖《陇头水》说的："北注黄河，东流白马。"这两句诗所提到的地名都不属诗题所指的地域。苏武诗有"俯看江汉流"的句子，当时苏武在长安，哪能看到长江汉水？《尔雅》："山有穴为岫。"谢玄晖诗："窗中列远岫。"徐浩文："孤岫龟形。"都错误地把"岫"指为山峦。

刘琨《答卢谌》诗中有："宣尼悲获麟，西狩涕孔丘。"宣尼就是孔子。谢朓《秋怀》诗："虽好相如色，不同长卿慢。"长卿就是司马相如。《康乐》："扬帆采石华，挂席拾海月。""扬帆"就是"挂席"。孟浩然："竹间残照入，池上夕阳微。""夕阳"就是"残照"。假使后来的人也这么用，一定会出现"关门闭户掩柴扉"之类的笑话。杜甫《寄贾司马》诗中有："诸生老伏虔。"东汉的伏虔并不老。这里所说的伏虔，是指伏生，但伏生的名字并不是虔。《示僚奴阿奴》说："曾惊陶侃胡奴异。"胡奴是陶侃的儿子，而不是他的奴仆。"不闻夏殷兴，中自诛褒妲"，褒、妲是殷周时代的人，与夏没有关系。

杜甫诗："乘槎消息近，无处问张骞。"这就是世俗所传说的张骞乘船的故事。然而宋之问的诗中有："还将织女支机石，重访成都卖卜人。"这里明显引用了《荆楚岁时记》里的织女教人去问严君平的事。殊不知君平是王莽时代的人，张骞是武帝时代的人，二者相距很远！

汪韩门说："《檀弓》记载：'齐庄公出兵攻打杞国，杞梁战死，他的妻子在路边迎接他的灵柩，哭得很悲伤。'《孟子》中说：'杞梁的妻子经常为丈夫的死哭泣，改变了一个国家的风俗。'《左传》中只说杞妻拒绝齐侯前来吊丧，而没有提到好哭。《檀弓》、《孟子》虽然说到了哭，但没有言及哭倒城墙的事情。《说苑立节篇》说：'妻子听到丈夫死而大哭，城墙为之塌下。'《列女传》中说：'在城墙下枕着丈夫的尸体，哭了十天，城墙崩塌。'也没有说崩塌的就是长城。长城筑于齐威王时期，离齐庄公还有一百多年，而齐国的长城更不是秦始皇所筑的长城。唐代的和尚贯休为此作诗说：'秦人筑土一万里，杞梁贞妇啼呜呜。'把杞梁当作秦代修筑城墙的人，而把其妻哭倒的城墙当成了秦国时的长城。"

俗传梁灏八十岁考中科举第一名，有"龙头属老成"七言诗一首。

《黄氏日抄》、《朝野杂记》都反驳这种说法，认为梁灏中状元的时候，年纪才二十六岁。我作的说明：《宋史》中的梁灏本传：雍熙二年科举中进士，被赏赐进士甲科出身，从而脱下了平民百姓的衣服，作了大名府观察推官。景德元年死去，年纪已九十二。从雍熙年到景德年相隔只十多年，而梁灏却有九十二岁高寿，关于他八十登科的说法，不是没有缘由的。

一二七、误传苏小妹

【原文】

世传苏小妹之说。按《墨庄漫录》云："延安夫人苏氏，有词行世，或以为东坡女弟适柳子玉者所作。"《菊坡丛话》云："老苏之女幼而好学，嫁其母兄程濬之子之才先生。作诗曰：'汝母之兄汝伯舅，求以厥子来结姻。乡人婚嫁重母族，虽我不肯将安云。'"考二书所言，东

坡止有二妹：一适柳，一适程也。今俗传为秦少游之妻，误矣！或云："今所传苏小妹之诗句对语，见宋林坤《诚斋杂记》，原属不根之论。犹之世传甘罗为秦相。"按《国策》："甘罗年十二，为少庶子，请张卿相燕。又事吕不韦，以说赵功，封上卿。"并无为秦相之说。然《仪礼疏》亦云："甘罗十二相秦。"则以讹传讹久矣。

【译文】

社会上流传着苏小妹的传说。按照《墨庄漫录》："延安夫人苏氏，有诗词流传在社会上，有人认为是嫁给柳子玉的苏东坡的妹妹所写。"《菊坡丛话》中说："苏老泉的女儿年龄小但好学，他将她嫁给了她的舅舅程濬的儿子程之才先生。并写了一首诗说：'你母亲的兄长是你的大舅父，请求让你和他的儿子结婚。本乡人在结婚嫁娶时看重母亲的宗族，虽然我不肯把你嫁过去。'"考证以上二书所记载的内容，苏东坡只有两个妹妹：一个嫁给了柳子玉，一个嫁给了程之才。现在流传她是秦少游的夫人，真是大错特错了！有人说："现在所传世的苏小妹的诗句对联，参考宋林坤的《诚斋杂记》，原本是毫无根据的言论。就好比世上所流传的甘罗曾为秦国宰相的故事。"按《国策》上记载："甘罗十二岁进宫担任少庶子之职，邀请张卿到燕国做宰相。后来跟随吕不韦，由于劝说赵国有功，被封为上卿。"但并没有说他被封为秦国宰相。但是《仪礼疏》中也说："甘罗十二岁时在秦国做宰相。"由此可见这种以讹传讹的现象由来已久了。

一二八、言外之意

【原文】

余尝极赏健庵甥《咏落花》云:“看它已逐东流去,却又因风倒转来。”或大不服,曰:“此孩童能说之话,公何以如此奇赏?”余曰:“子不见张燕公争魏元忠事乎?燕公已受二张嘱托矣,因宋璟一言而止。一生名节,从此大定。在甥作诗时,未必果有此意;而读诗者,不可不会心独远也。不然,《诗》称‘如切如磋’,与‘贫而无谄’何干?《诗》称‘巧笑倩兮’,与‘绘事后素’何干?而圣人许子夏、子贡‘可与言诗’,正谓此也。”

【译文】

我曾经极其欣赏外甥健庵的《咏落花》中写的:“明明看到它已经随着东去的流水漂去,却又因为风儿的吹拂倒转回来。”有人很不服气,说:“这是小孩都能说出的话,你为什么如此欣赏它呢?”我说:“你难道没听说张燕公冒死营救魏元忠的故事吗?张燕公已经受到了权贵张易之、张昌宗的嘱托,要他作伪证陷害魏元忠,但因为听到宋璟的一席话而没有这么做。他一生的名誉和贞节,从此就基本定下了。外甥作诗时,不一定果真有这种想法,而读诗的人,不可不心想诗外。不然的话,《诗经》中说的‘仔细切磋琢磨’,与‘贫困但不巴结别人’有什么关系呢?《诗经》中说的‘有酒窝的脸蛋笑得美呀’与‘先有白色底子，然后在上面画花’有什么关系？而孔子赞许子夏、子贡‘可以与他们论诗’，正是说的这个意思。”

一二九、话说月华

【原文】

余自幼闻“月华”之说，终未见也。同年王大司农秋瑞梦月华而生，故小字华官。后见平湖陆陆堂先生云：“康熙辛酉，八月十四夜，曾见月当正午，轮之西南角，忽吐白光一道。已而红黄绀[①]碧，约有二十余条，下垂至地，良久结轮三匝，见月不见天矣。”先生赋云：“今宵才见月华圆，织女张机也失妍。五色流苏齐着地，三重轮廓欲弥天。”先生名奎勋，掌教桂林，作《礼经解义》，请序于金中丞。中丞命余代作，先生夸不已。中丞以实告之。先生曰：“此古文老手，不似少年人所作也。”记先生有句云：“檐低丝网蛛常断，沼浅莲房子半空。”

先生祖名棻，字义山，当国初鼎革时，马将军兵破平湖，掠其父，将杀之。棻才九岁，伏草中，跳出，抱将军膝，求代。将军爱其貌韶秀，取手扇示之，曰：“儿能读扇上诗，即赦汝父。”棻朗诵曰：“‘收兵四解降王缚，教子三登上将台。’此宋人赠曹武惠王诗也。将军不杀人，即

今之武惠王矣。”将军大喜，抱怀中，辟咡[2]曰：“汝能随我去，为我子乎？”曰：“将军赦吾父，即吾父也。”遂哭别其父而行。将军之为泪下。已而将军身故，菉得脱归。康熙己未，举鸿博，入词林。圣祖爱其才，一日七迁，从编修、赞善、庶子，授内阁学士。才一年，先生引疾归。又十年，卒。自题华表云：“一日七迁千古少，周年致政寸心安。”有病不治，吟曰：“无药能延炎帝寿，有人曾哭老聃来。”

【注释】

①绀：稍微带红的黑色。

②辟咡(èr)：交谈时侧着头，不使口气触及对方，以示尊敬。咡，口耳之间。

【译文】

我从小就听到过有关“月华”的传说，但始终没有见到。我的同年大司农王秋瑞是他母亲梦见月华后出生的，所以小名华官。后来见到平湖的陆陆堂先生说：“康熙辛酉年的八月十四日夜晚，曾经看到月亮像正午的太阳，从月亮的西南角突然吐出一道白光。之后是红色黄色绀色绿色的光，大约有二十多条，向下垂到地上，许久之后结成三个光圈，人们只看见月亮，看不见天了。”先生赋诗一首：“今晚才得以看到月华的圆润，织女摆出织机也大为失色。五颜六色的流苏整齐地垂落地上，三弧月轮将天都遮盖了。”先生名叫奎勋，在桂林掌管教育，作《礼经解义》，请金中丞作序。中丞让我代作了一个，先生看后称赞不已。中丞把实情告诉了他，他说：“这是出自古文老手，不像是少年所作。”先生有这样一句诗:“屋檐低矮蜘蛛网常被碰断,池塘浅了莲蓬大半是空的。”

先生的祖父名棻,字义山。当开国初期改朝换代之时,马将军兵破平湖,掠走他父亲,正准备要杀。棻才九岁,伏在草丛中,立马跳出来,抱住将军的膝盖,请求代替父亲去死。将军喜爱他长相秀美,将手摇小扇取出给他看,说:“你要是能读出扇子上的诗,我就放了你父亲。”棻朗诵道:“取胜收兵四次给投降的敌人松绑,教育子女三次登上上将台。’这是宋朝人赠给曹武惠王的诗。将军您不杀人,就是当今的武惠王啊。”将军非常高兴,将他抱入怀中,把嘴贴在他的耳边说:“你能随我去,做我的儿子吗? ”他回答说:“将军赦免了我的父亲,你就是我的父亲了。”于是哭着与父亲告别而去。将军为之泪下。后来将军去世,棻得以解脱回家。康熙己未年,他被推举为鸿博,进入词林。圣祖喜爱他的才华,一日之内让他升迁了七次,从编修、赞善、庶子,授为内阁学士,才满一年,先生托病引退。又过了十年,他去世了。他自己在华表上题诗:“一日升迁七次自古少有,从政一年寸心也安稳。”他曾有病不治,并吟诗道:“没有药可以延长炎帝的寿命,有人曾哭着请求太上老君来。”

卷十六

一三〇、小议唐诗

【原文】

徐朗斋嵩曰："有数人论诗，争唐、宋为优劣者，几至攘臂。乃援嵩以定其说。嵩乃仰天而叹，良久不言。众问何叹。曰：'吾恨李氏不及姬家耳！倘唐朝亦如周家八百年，则宋、元、明三朝诗，俱号称唐诗，诸公何用争哉？须知：论诗只论工拙，不论朝代。譬如金玉，出于今之土中，不可谓非宝也。败石瓦砾，传自洪荒，不可谓之宝也。'众人闻之，乃闭口散。"余谓：诗称唐，犹称宋之斤、鲁之削也，取其极工者而言，非谓宋外无斤，鲁外无削也。朗斋，癸卯科为主考谢金圃所赏，已定元矣，因三场策不到而罢。谢刊其荐卷，流传京师，故朗斋《咏唐寅画像》云："锦瑟华年廿五春，虎头金粟是前身。虚名丽六流传遍，下第江南第一人。""丽六"者，其场中坐号也。次科亦即登第。

【译文】

徐朗斋(字嵩)说过:“有几个人一起探讨诗歌,为唐诗宋诗何优何劣的问题引起争议,几乎到了卷袖动手的地步。他们请我下结论,我就仰天长叹,许久不说话。大家问我为何叹息,我说:‘我恨李氏唐朝比不过姬氏周朝啊!倘若唐朝也像周朝一样维持了八百年,那么宋、元、明三朝的诗,都可号称唐诗了,各位先生又何必争论呢?大家应该知道,论诗只论诗的精致与拙劣,不论朝代。譬如金玉,从今天的土壤中被挖出来,不能说不珍贵;破石烂瓦,即使从远古的时候传下来,也不可以称作宝物。’大家听了,都默不作声地走开了。”我认为:“诗歌推崇唐朝,就好像推崇宋国的斧、鲁国的刀一样,这是就它们同类中最好的来说的,并不是说宋国之外没有斧,鲁国之外没有刀啊。”徐朗斋被癸卯年科举的主考官谢金圃所赏识,本已定为头名,后因三次策试都没有合格而取消。谢金圃将他的考卷刊登出来,在京师流传,所以朗斋的《咏唐寅画像》中说:“二十五岁时正值青春韶华,前身本为身着虎头官服的高官。我坐在丽六号应考,虚名传遍整个京师。虽然落第但仍不失为江南第一才子。”“丽六”是他在考场中的座号。“次科”也就是考中的意思。

一三一、士大夫记

【原文】

明季士大夫,学问空疏,见解迂浅,而好名特甚。今所传三大案,惟“移宫”略有关系。然拥护天启,童昏瞀乱[①],遂致亡国,殊觉无谓。杨

慎《大礼》一议，本朝毛西河、程绵庄两先生引经据古，驳之甚详。“梃击”一事，则汉、晋《五行志》中，此类狂人，不一而足。焉有一妄男子，白日持棍，便可打杀一太子之理？蕲州顾黄公诗云：“天伦关至性，张桂未全非。”又曰：“深文论宫闱，习气恼书生。”议论深得大体。黄公与杜茶村齐名，而今人知有茶村不知有黄公。因《白茅堂诗集》贪多，稍近于杂，阅者寥寥。然较《变雅堂集》，已高倍蓰[2]矣。

黄蒙圣祖召见，宠问优渥[3]。以老病乞归，再举鸿词，亦不赴试，有杨铁崖“白衣宣至白衣还”之风。《忆内》云：“静夜停金剪，含情对玉钉[4]。数声风起处，花雨上纱窗。”《观姬人睡》云：“玉腕明香簟，罗帷奈汝何。不知梦何事，微笑启腮窝。”风韵独绝。余尝见小儿睡中，往往启颜而笑，讶其不知缘何事而喜。今读先生诗，方知眼前事，总被才人说过也。

【注释】

①瞀(mào)乱：混乱，紊乱。

②蓰(xǐ)：五倍。

③优渥(wò)：优厚。

④缸(gāng，又读 gōng)：灯。

【译文】

明朝末年的士大夫，学问空疏，见解迂腐浅薄，却特别喜好虚名。当今所流传的三大案，只有“移宫”案与他们稍有关系。然而他们所拥护的天启皇帝，像孩童般昏乱地执政，因此导致了亡国，尤其令人感到无谓。杨慎的《大礼》这一奏议，被本朝的毛西河、程绵庄两位先生引经据典，查证古今，批驳得很是详尽。与“梃击”一事类似的狂妄之徒，在汉、晋的《五行志》中多有记载，但是，哪会有一个狂妄的男子，在白天手持棍棒，就把一位太子打死的情况？蕲州的顾黄公在诗中说：“享受天伦之乐原本是人的天性，张桂并非都错了。”他又说：“用高深的文字去讨论宫廷之事，这种书生习气很是令人恼火。”这种议论真是恰如其分。顾黄公与杜茶村齐名，然而当今的人只知道有茶村而不知道有黄公。因为《白茅堂诗集》所收诗歌贪图数量，几乎接近于杂乱了，所以阅读的人寥寥无几，然而较之《变雅堂集》，读者已高出五倍。

顾黄公蒙圣祖召见，对他宠爱有加，给予他优厚待遇，后因年老多病告老还乡，再后来被推举为鸿词，他也不赴考，大有杨铁崖以平民百姓的身份召来又以平民百姓的身份回归的风范。《忆内》中说：“静夜中停下金剪，含情脉脉地对着玉灯。数阵风声响过，花雨溅上纱窗。”《观姬人睡》中说：“雪白的手腕在有清香的竹席上伸出，绫罗帐子不能关住你的风韵。不知你梦见了什么，腮边酒窝露出一丝微笑。”这首诗

的风韵绝妙。我曾经看到过睡梦中的婴儿，往往露颜而笑，惊讶他们不知道因何事而高兴。现在读了先生的诗，才知道自己眼前的事，总是被有才气的人说过了。

一三二、著述太多转自累

【原文】

古人诗集之多，以香山、放翁为最。本朝则未有多如吾乡吴庆伯先生者。所著古今体诗一百三十四卷，他文称是，现藏吴氏瓶花斋。先生乳哺时，哑哑私语，皆建文逊国之事。年过十岁，方闭口不言。初为前朝马文忠公世奇所知，晚为本朝李文襄公之芳所知。康熙戊午，荐鸿词科，不遇而归。少时，在陈公函晖家作诗会，以《芙蓉露下落》为题，操笔立就，赠陈云："一辈少年争跋扈，明公从此愿躬耕。"陈大奇之。惜其集浩如烟海，不能细阅，欲梓而存之，非二千金不可。著述太多，转自累也。

【译文】

古人诗集最多的应该是白居易和陆游，本朝诗集则没有比我的同乡吴庆伯更多的人。他所著的古体诗和近体诗共一百三十四卷，其他的文章著述数量与此相当，现收藏在吴家的瓶花斋中。先生早在吃奶的时候，就牙牙私语，说的都是建文帝退位的事。过了十岁，才闭口不说了。起初他被前朝文忠公马世奇所赏识，后被本朝文襄公李之芳所赏识。康熙戊午年，举荐鸿词科，没有受到器重而回老家。他年少的时候，在陈函晖先生家参加诗会，以《芙蓉露下落》为题，提笔一挥而就，赠陈先生诗："一辈少年争跋扈，明公从此愿躬耕。"陈对其才华很是惊讶。可惜他的诗浩如烟海，不能一一细读，想刻印后保存下来，但非二千金不可。著述太多，反而自受其累。

一三三、焚琴煮鹤

【原文】

国初说书人柳敬亭、歌者王紫稼，皆见名人歌咏。王以黯昧事，为李御史杖死，有烧琴煮鹤之惨。顾赤方哭之云："昆山腔管三弦鼓，谁唱新翻《赤凤儿》？说着苏州王紫稼，勾栏红粉泪齐垂。"王送公卿出塞，必唱骊歌，听者不忍即上马去；故又云："广柳纷纷出盛京，一声呜咽最伤情。行人怕听《阳关曲》，先拍冰轮上马行。"悼王郎诗，只宜如此，便与题相称。乃龚尚书竟用"坠楼"、"赋鹏"之典，拟人不伦，悖

矣！御史名森先，字琳枝，性虽伉直，诗恰清婉。《过云间亭》云："空亭积水松阴乱，小阁张灯夜气清。"卒以忤众罢官。

【译文】

本朝建国初期的说书人柳敬亭、歌唱艺人王紫稼，都被知名的诗人所咏唱。王紫稼因为一些不明不白之事，被李御史命人重杖打死，让人有烧毁心爱的瑶琴、烹煮美丽的仙鹤的惨痛之感。顾赤方写诗为他而哭泣，诗中说："昆山的管弦和鼓声已响起，是谁在重新翻唱《赤凤儿》？说起苏州的歌唱艺人王紫稼，连妓院中的红尘中人全都不禁怆然泪下。"王紫稼在送王公大臣远行塞外时，一定要唱送别的歌，听歌的人都不忍心立即上马远走。因此顾赤方又有诗说："一路柳枝飘拂离开了盛京，那一声呜咽最令人伤怀。行人都害怕听到《阳关曲》，纷纷上马先行远去了。"悼念王紫稼，只有这样比较合适，和诗题相称。但龚尚书在诗中却使用了"坠楼"、"赋鹏"的典故来比拟他，有些不伦不类，真是大错特错！御史名叫李森先，字琳枝，性格虽然耿直而僵硬，写的诗却清丽委婉。他的《过云间亭》诗中说："空旷的小亭中积了一层水，风儿吹乱了松树荫，小阁楼中灯火通明，更显夜晚空气清新。"他后来因为冒犯了众人而被罢官。

一三四、文帝问鬼神

【原文】

义山讥汉文，召贾生问鬼神，不问苍生，此

言是也。然鬼神之理不明，亦是苍生之累。嗣后武帝巫蛊祸起，父子不保，其时无前席①之问故耳。余故反其意题云："不问苍生问鬼神，玉溪生笑汉文君。请看宣室无才子，巫蛊纷纷死万人。"

【注释】

①前席：移坐向前。《汉书·贾谊传》："上因感鬼神事，而问鬼神之本。谊具道所以然之故。至半夜，文帝前席。"李商隐《贾生》诗："可怜夜半虚前席，不问苍生问鬼神。"

【译文】

李商隐讥讽汉文帝召贾谊询问鬼神占卜之事，却不问天下黎民百姓的疾苦，这话说得对。但如果不明白鬼神的道理，也会给黎民百姓带来灾祸。后来汉武帝时因巫蛊引起祸患，父子两人都没保住，这是因为没有巫蛊可问的缘故罢了。我因此反其意题诗道："不问百姓疾苦反而问鬼神之事，玉溪生嘲笑汉文帝。请看武帝时没有懂得巫蛊的才子，导致万人丧生。"

一三五、注释难为

【原文】

元遗山惜义山诗无人笺注。渔洋先生亦有"一篇《锦瑟》解人难"之句。近时,冯养吾太史注《玉溪集》,断定以为此悼亡之诗。"思华年",原拟偕老也。"庄生晓梦",用鼓盆事。"蓝田日暖",用吴宫事。皆指夫妇而言。曰"无端",曰"不忆"者,云从何得此佳妇。曰"惘然"者,早知好物不坚牢。《湘素杂记》以"锦瑟"为令狐家青衣者,非也。又注《漫成》五章,专为李卫公雪冤而作。"代北"二句,为石雄发。"韩公"、"郭令",推尊德裕也。以史证之,殊为确切。

【译文】

元好问痛惜李商隐的诗没有人注释。渔洋先生也写有"一篇《锦瑟》令注释的人为难"的诗句。最近一段时间,冯养吾太史注释《玉溪集》,断定《锦瑟》是一篇追悼亡人的诗。"联想自己逝去的年华",原是希望白头偕老。"庄周梦见自己化为蝴蝶",引用的是庄子鼓盆的典故。"蓝田县温暖的太阳",引用的是吴国宫中的故事。都是指夫妻之间而说的。说"无端",说"不忆",是说从何处得到这样美丽的妻子。说"惘然",是指早就知道美好的事物不会长久。《湘素杂记》中把"锦瑟"解释成令狐楚家的丫鬟之名,这是不正确的。冯太史还为五章《漫成》作注,认为是专门为李卫公申冤昭雪而写的。诗中“代北”这二句,是从石雄身上引发的。“韩公”、“郭令”,是他对李德裕的推崇尊称。用史实来证实,很是确切。

一三六、转世报恩

【原文】

孙子未先生尝于其师秀水徐华隐坐中,见一贫客,乃徐年家子也。先生仰体师意,留养家中,待之甚厚。忽谓孙公曰:“受恩未报,明年当生公家。”未几卒。公果生女。六岁时,戏抱之谓家人曰:“此华隐师客也。说来报恩。乃是女儿,恐报恩之说虚矣。”女勃然曰:“爹憎我女耶?当再生为男。”逾十日,以痘殇。明年,公果举子,顶有痘瘢。名于盅,字庄天,雍正乙卯举人。有《织锦词》一首,载《山左诗抄》;诗不佳,故不录。

【译文】

孙子未先生曾经在他老师徐华隐的座客中,看到一位贫穷的人,他就是徐年家子。孙先生体会到老师的心意,便把他留养到自己家中,对他很仁厚。有一天,他忽然对孙先生说:“受到您的恩惠未能报答,明年我会降生在您的家中。”没过多久他就死了。后来,孙先生果然得了个女儿。女儿六岁的时候,孙子未先生抱着她玩,对家人说:“这是华隐老师的客人，说是来报恩的，却是女儿，恐怕报恩的说法是假的。”女儿勃然大怒说：“爹爹恨我是女儿吗？我会再转世降生为男儿。”过了十多天，她因得天花而夭折。第二年，孙子未先生果然得了个儿子，头顶有天花痘疤痕，取名叫于盍，字庄天，是雍正乙卯年的举人。作有《织锦词》一首，收录在《山左诗钞》中，诗不好，所以我这里没有抄录。

一三七、惺惺相惜

【原文】

沭阳吕观察名昌际，字峄亭，出身非科目，而诗似香山，字写东坡，好谈史鉴：真豪杰之士也。乾隆癸亥，余宰沭阳。观察尊人又祥为功曹，有异才，相得甚欢，官至常德太守。其时，观察才四岁。今作冀宁道，养母家居，书来见招。余欣然命驾。则须已斑白，相对怃然。主于其家，园亭轩敞，膳饮甘鲜，致足感也。因赋诗云：“黄河水照白头颅，重到潼阳认故吾。竹马儿童三世换，琴堂书吏一人无。笑非丁令身为鹤，喜是王乔舄化凫。四十六年如顷刻，沧桑何处问麻姑。”“此邦赖有吕公贤，肯读淮南《招隐》篇。旧雨不忘云外客，官声久付晋阳烟。萧斋论史灯花落，子舍承欢彩服鲜。我奉慈云三十载，喜君追步到林泉。”一时和者如云。钱接三文学云：“百姓讴歌随路有，使君城府一分

无。"吴南畇中翰云："胸中武库谁能测，天下名山历尽无？"余因近体易招人和，故草草赋此二章，而别作五古四首，存集中。

峄亭闻余到，以诗迎云："使回捧读五云笺，如获珍珠满百船。引领南天非一日，者番望月月才圆。""膏泽流传五十年，甘棠蔽芾已参天。忽闻召伯重来信，父老儿童喜欲颠。"又和余《留别》云："半月追陪兴正豪，平生饥渴一时消。相逢不敌相思久，忍听骊歌过野桥？""河桥送别满城悲，驻马临风怨落晖。人影却输原上草，江南江北傍征衣。"

【译文】

沭阳的观察使吕昌际，字峄亭，他不是科举出身，但他的诗有些像白居易，字体临摹苏东坡，喜欢谈历史，真是位豪放之士。乾隆癸亥年，我到沭阳任县令。吕昌际的父亲吕又祥为功曹官，身怀奇异的才能。我们委实投机合缘，他后来做官做到了常德太守。那时，吕昌际才四岁，如今却做了冀宁道台，在家侍奉老母亲，写信请我前去做客。我欣然前往，我们都已是须发斑白，一见面都有很多感叹。我住在他的家中，那里园亭宽敞，饭食甘美新鲜，足以让我感激不尽。于是写了一首诗说："黄河水映照着我的苍苍白发，重新来到潼阳与故人相会。骑着竹马玩耍的儿童都已经换了三代人，琴堂中的书童却少了一个人。不是因为丁令化作仙鹤而笑，而是因王乔把鸟变成了鸭子而高兴。四十六年稍纵即逝，到什么地方去向麻姑询问沧海桑田？""这个国家多亏有吕先生这样的贤臣，愿意用心研读淮南子的《招隐》篇。旧时的雨丝

没有忘记云外的仙客，官场上的话语早就随晋阳的烟云飘去了。在简陋的书斋中谈史论书直到油尽灯熄，孝子侍奉老人穿上鲜艳的衣服。我在慈祥的云雾中住了三十年，今天高兴地看到你追随我来到了这林泉之中。”一时之间作诗相和的人很多。文学官钱接三在诗中这样说：“沿着大路到处都可以听到讴歌声，使君心胸坦荡连一点城府都没有。”吴南畇中翰在诗中说：“胸中的文韬武略没有人能够猜出，天下的名山大川是否已经游历尽？”我因为考虑到近体诗容易招来别人的附和，因此草草写了两首诗，又另外写了四首五言诗，都收存在诗集中。

吕峄亭听说我到了，就写诗相迎说：“让我回去捧起五云信笺读读看，就好像得到了满满一百船的珠宝。您引导统领江南文坛已非一日半载，从这里看月亮，月亮才更加圆亮。”“佳句在世上流传了五十年，甘棠树高耸入云茂密蔽日。忽然听说召伯又写来信，老人和儿童都高兴得要跳起来。”他又和我的《留别》诗说：“追随您半个月，我的兴致正浓，平生对诗文如饥似渴的追求一下子得到了满足。相逢难敌长期的相思苦，又怎能忍心去听别人的歌声从田野中的小桥上传来？”“在河中的小桥上送别，满城人都感到悲伤难忍，临着风勒住马儿埋怨落日的余晖。远行的身影在田野中渐渐拉长，大江南北的人民都将要穿起征衣起来作战。”

一三八、收帆须在顺风时

【原文】

余常谓收帆须在顺风时，急流勇退，是古今佳话。然必须嘿而不言，趁适意之际，毅然引疾，则人不相疑。若时时形诸口角，转觉落套。而上游闻之，以为饱则思飏，翻致挂碍矣。钱竹初擅郑虔三绝之才，抱梁敬叔州郡之叹，屡次书来，欲赋遂初。余寄声规其濡滞。今秋才得解组，余贺以诗。渠答云："海上秋风江上莼，尘颜久已怅迷津。窃公故智裁今日，劝我抽身有几人？世事楸枰留黑白，老杯薤臼杂酸辛。退闲自此陪裙屐，长作田间识字民。""劳生那复计年华，归识吾生本有涯。未定新巢同燕子，早营孤冢付梅花。千秋欲借先生笔，十亩从添处士家。他日并登皇甫《传》，始知真契在烟霞。"

【译文】

我常说收帆必须在顺风的时候，急流勇退是流传古今的佳话。然而必须是沉默不语，趁自己得意的时候，毅然称病隐退，这样人们才不会怀疑你。若是动不动就表现在言语中，反而会落入俗套，而且上司们听到后，会以为你养尊处优，想表现自己，这样反而会招致怀疑。

钱竹初身怀郑虔那样的三绝之才，却有梁敬叔在州郡中的感叹，屡次在书信中流露想告别官场、恢复当年自由自在的生活的念头。我去信劝他三思而后行。直到今年秋天他才得以脱去官服，我写诗表示祝贺。他作诗相答说："海上的秋风和江上的莼草，尘世中的人们早已渴望指点迷津。多亏先生多年的教诲才使我有了今日，劝我从官场中退出的能有几个人？世上的事就像棋盘黑白分明，人老了心中想着薤白还有辛酸。辞官归隐从此便陪伴长裙和木屐，永远地做一位识字的田间老农。""操劳的人生哪里能够推算美好的年华，辞官后才清醒地认识到人生是有限的。和燕子一样还没安定新居，早早在梅树下修盖自己的坟冢。想要借先生的笔扬名千秋历史，处士的家中又增添了十亩地。他日同登皇甫氏写的《传》中，才知道人生的真谛蕴藏在烟霞深处。"

一三九、潮州行

【原文】

久闻广东珠娘之丽。余至广州，诸戚友招饮花船，所见绝无佳者，故有"青唇吹火拖鞋出，难近多如鬼手馨"之句。相传：潮州六篷船人物殊胜，犹未信也。后见毗陵太守李宁圃《程江竹枝词》云："程江几曲接韩江，水腻风微荡小船。为恐晨曦惊晓梦，四围黄篾悄无窗。""江上萧萧暮雨时，家家篷底理哀丝。怪他楚调兼潮调，半唱消魂绝妙词。"读之，方悔潮阳之未到也。太守尤多佳句:《潞河舟行》云:“远能招客汀洲树,艳不求名野径花。”《姑苏怀古》云:“松柏才封埋剑地,河山已付浣纱人。”皆古人所未有也。又《弋阳苦雨》云:“水驿萧骚百感生,维舟野戍听鸡鸣。愁时最怯芭蕉雨,夜夜孤篷作此声。”《珠梅闸竹枝词》云:“野花和露上钗头,贫女临风亦识愁。欲向舵楼行复止,似闻夫婿在邻舟。”

【译文】

早就听说广东的珠娘相貌美丽。后来我到了广州,各位亲戚朋友请我在花船中饮酒,所见的姑娘没有一个长得漂亮的,因而作了“嘴唇暗黑的她拖着鞋子走出来,依次把烛光吹灭,虽然香气扑鼻却像鬼一样让我难以接近”的诗句。相传潮州六篷船中的人物特别出众,我一直不相信。后来见毗陵太守李宁圃在《程江竹枝词》中写道:“程江水蜿蜒曲折地流入韩江,在水汽清爽的微风轻拂中我们荡起了小舟。为了防止清晨的日光惊扰了我的好梦,放下四周的黄竹帘把船儿围得见不到窗。”“傍晚的江上雨水潇潇洒落,渔户们家家的船篷底下都传出婉约的小曲。曲声中兼杂了湖北民歌和潮州民歌的风格,唱出的词曲确实令人销魂。”我读罢这首诗,才后悔没有去潮阳。李宁圃太守的佳句很多,他的《潞河舟行》诗中说:“河中小洲上的大树远远地招引着来客,野外小路的小花虽然格外艳美却不求名利。”他在《姑苏怀古》诗中说:“埋剑之地的松树刚刚种上,大好河山却已交给了浣纱人。”这些诗都是古人所没写过的。此外,在《弋阳苦雨》诗中他写道:“在水中远行,心情落寞忧愁而又百感交集,在荒野中拴好船停泊水上只听得四面野鸟啼叫。人忧愁时最害怕听雨打芭蕉的声音，而每夜独枕孤舟时我都会听到这种雨声。”他在《珠梅闸竹枝词》中说：“摘一朵带着晨露的野花插在头上，贫穷的农家女对着拂面的西风也尝到了忧愁的滋味。想要走上舵楼却又停了下来，好像听到夫婿的声音从邻舟中传来。”

随园诗话补遗

补遗卷一

一四〇、诗近取诸身

【原文】

《诗》始于虞舜，编于孔子。吾儒不奉两圣人之教，而远引佛老，何耶？阮亭好以禅悟比诗，人奉为至论。余驳之曰："《毛诗》三百篇，岂非绝调？不知尔时，禅在何处？佛在何方？"人不能答。因告之曰："诗者，人之性情也。近取诸身而足矣。其言动心，其色夺目，其味适口，其音悦耳，便是佳诗。孔子曰：'不学诗，无以言。'又曰：'诗可以兴。'两句相应。惟其言之工妙，所以能使人感发而兴起；倘直率庸腐之言，能兴者其谁耶？"

【译文】

《诗经》中的诗篇从虞舜时期开始创作，到孔子时编辑成书。我们读书人不遵从两位圣人的教诲，却要从佛老之学中引经据典，这是为什么呢？阮亭喜欢用禅悟与写诗作比较，被人们尊奉为至理名言。

我反驳他们说："《毛诗》三百篇，难道不是稀世之作？不知道那个时代，禅在哪里？佛又在哪里？"人们都无言以对。我于是告诉他们说："写诗，表达的是人的性情。从近处的自身中取材就足够了。只要它的语言让人动心，它的意境夺目，它的风格合人口味，它的音韵悦耳，就是好诗。孔子说：'不学习诗，便没有话可说。'又说：'诗可以使人快乐。'这两句话前后呼应。因为诗的语言精妙，所以能够使人有所感触而萌生兴致；倘若是平铺直叙且庸俗迂腐的语言，又能激起谁的兴趣呢？"

一四一、读书为诗家要事

【原文】

李玉洲先生曰："凡多读书，为诗家最要事。所以必须胸有万卷者，欲其助我神气耳。其隶事、不隶事，作诗者不自知，读诗者亦不知，方可谓之真诗。若有心矜炫淹博，便落下乘。"

又有人问先生曰："大题目用全力了却，固见力量；倘些小题，亦用长篇，岂不更见才人手段？"先生笑曰："狮子搏兔，必全用力，终是狮子之愚。"

【译文】

李玉洲先生说："大凡多读书，是诗人最为重要的事情。原因是胸中藏有万卷诗书的人，才能增神长气。诗人牵涉到的事和没有牵涉到的事，作诗的人自己不知道，读诗的人也不知道，才可称得上真正的诗。若诗人存心炫耀自己渊博的知识，便会落入下等。”

又有人问李先生说：“写作大题目时要用尽全力去完成，因而可以显出诗作者的实力；倘若是些小题目，也写出长篇大论，岂不是更能显出诗人的能力技巧？”李先生笑着说：“狮子捕捉兔子时，必定会用尽全力，但这只能说明狮子的愚蠢。”

一四二、作诗与穷经

【原文】

近日有巨公教人作诗，必须穷经读注疏，然后落笔，诗乃可传。余闻之，笑曰：且勿论建安、大历、开府、参军，其经学何如。只问“关关雎鸠”，“采采卷耳”，是穷何经、何注疏，得此不朽之作？陶诗独绝千古，而“读书不求甚解”。何不读此疏以解之？梁昭明太子《与湘东王书》云：“夫六典、三礼，所施有地，所用有宜。未闻吟咏情性，反拟《内则》之篇；操笔写志，更摹《酒诰》之作。‘迟迟春日’，翻学《归藏》；‘湛湛江水’，竟同《大诰》。”此数言，振聋发聩。想当时必有迂儒曲士，以经学谈诗者，故为此语以晓之。

【译文】

近日有一位大家教人作诗，说是必须要仔细研读各种经书及其注解，然后动笔，这样写出的诗才能得以流传。我听说后，笑着说：姑且不要说建安、大历、开府、参军他们的经学功底如何，只要问他们“关关雎鸠”、“采采卷耳”，是读尽了什么经书、什么注解才写出如此不朽的作品？陶渊明的诗名绝千古，但却“读书时不求深刻理解”，为什么不读注释而求得理解呢？南朝梁代的昭明太子在《与湘东王书》中说：“古代流传的六典和三礼，它们的施行有特定的场所，所使用的物品要求适宜。没有听说过吟诗抒情，反而要参照《内则》篇中的文字；提笔写诗抒发自己的感想，还要模仿《酒诰》。‘迟迟春日’这句诗，反而要从《归藏》中引用；‘湛湛江水’竟然和《大诰》中的文字相同。”这几句话，真是唤醒糊涂人啊。想必当时也有迂腐的儒生，用经学谈论诗歌，所以昭明太子用这样的话来提醒他们。

一四三、人各有性情

【原文】

人问：“杜陵不喜陶诗，欧公不喜杜诗，何耶？”余曰：“人各有性情。陶诗甘，杜诗苦，欧诗多因，杜诗多创，此其所以不合也。元微之云：‘鸟不走，马不飞，不相能，胡相讥？’”

【译文】

有人问道：“杜甫不喜欢陶渊明的诗，欧阳修不喜欢杜甫的诗，这是什么原因呢？”我说：“每个人都有自己的性情。陶渊明的诗甜美自然，杜甫的诗深苦凝重，欧阳修的诗大多因袭前人，杜甫的诗大多为自我独创，这就是他们相互之间不喜欢的原因。元微之说：‘鸟不会跑，马不会飞，彼此之间本领不同，又为何要相互讥讽呢？’”

一四四、诗的品味

【原文】

凡菱笋鱼虾，从水中采得，过半个时辰，则色味俱变，其为菱笋鱼虾之形质，依然尚在，而其天则已失矣。谚云：“死蛟龙，不若活老鼠。”可悟作诗文之旨。然人莫不饮食也，鲜能知味也。作者难，知者尤难。

【译文】

凡是菱角、芦笋、鱼、虾等，从水中采到后，过了半个时辰，颜色和味道都会发生变化，虽然菱角、芦笋、鱼、虾的形状、实质依然没变，但它们的鲜活灵性已经失去了。有谚语说：“死去的蛟龙，不如活着的老鼠。”这可以理解为写作诗文的要旨。世上没有不吃不喝的人，然而却很少有人能够品出其中的味道。可见作诗的人的难处，能够领悟诗的就更难找到了。

补遗卷二

一四五、不刻意求名

【原文】

钱辛楣少詹序冯畹庐之诗曰："古之君子，以诗名者，大都自抒所得，而非有意于求名，故一篇一句，传诵于士大夫之口。后人荟萃成书，而集始名焉。南齐张融自题其集，有'玉海金波'之名。五代和凝镌集行世，人多笑之。近世士人，未窥六甲，便制五言。又多求名公为之标榜，遂梓集送人。宜于诗学入之不深，而可传者少。"

【译文】

钱辛楣（字少詹）为冯畹庐的诗作序说："古代的君子们，因为诗而扬名的，大都是用诗抒发自己的感受，而不是有意去求取名声。因此他们的每一首诗、每一句诗，都被士大夫所传诵。后人将这些诗汇集成书，于是有了‘集’这个名称。南齐的张融在自己的诗集上题字，有‘玉海金波’的美名。五代时的和凝把自己的诗集刻印传播，受到许多嘲笑。近代的士人，对于天干地支六甲之学还没学好，就写起了五言诗。还有不少人去请名家为他们题词标榜，然后刻印成集送人。由于他们对诗学研究不深，所以可以流传于世的佳作很少。”

一四六、义犬四儿

【原文】

纪晓岚先生在乌鲁木齐数年，辛卯赐环东归。畜一黑犬，名曰“四儿”，恋恋随行，挥之不去，竟同至京师。途中，守行箧甚严，非主人至前，虽僮仆不能取一物。一日，过七达坂，车四辆，半在岭北，半在岭南，日已曛黑，不能全度。犬乃独卧岭巅，左右望而护视之。先生为赋诗曰：“归路无烦汝寄书，风餐露宿且随予。夜深奴子酣眠后，为守东行数辆车。”“空山日日忍饥行，冰雪崎岖百廿程。我已无官何所恋，可怜汝亦太痴生！”后被人毒死，先生为冢祀之，题曰“义犬四儿之墓”。

【译文】

纪晓岚先生在乌鲁木齐被放逐过几年，辛卯年皇上赦召他东归内地。他养的一条名叫“四儿”的黑狗，依依不舍地跟随着他，赶也赶不走，竟然一同回到京城。在途中，它看守行李可谓严防死守，不是主人来到跟前，即使是僮仆也不能取走一件物品。一天，路过七达坂，总共四辆车，一半在山岭北面，一半在山岭南面，眼看天色已暗下来，无法全部越过山岭。四儿于是独自卧于山岭之巅，左右眺望守护着车队行李。纪先生为它赋诗道："归途中没有劳烦你为我传送书信，风餐露宿你一直跟随着我。夜深了奴仆们已酣睡后，你为我看守着东归的几辆车。""每天忍着饥饿在空山中行走，踏着冰雪在崎岖的山路上行走一二百里。我已没有了官职，你对我还有什么依恋，可怜你也太痴情了！"后来四儿被人毒死了，纪先生为它立墓祭奠，在墓碑上题写着"义犬四儿之墓"。

一四七、诗贵近人情

【原文】

考据之学，离诗最远。然诗中恰有考据题目，如《石鼓歌》、《铁券行》之类，不得不徵文考典，以侈侈隆富为贵。但须一气呵成，有议论、波澜方妙，不可铢积寸累，徒作算博士也。其诗大概用七古方称，亦必置之于各卷中诸诗之后，以备一格。若放在卷首，以撑门面，则是张屏风、床榻于仪门之外，有贫儿骤富光景，转觉陋矣。圣人编诗，先《国风》而后《雅》、《颂》，何也？以《国风》近性情故也。余编诗三十二卷，以七言绝冠首，盖亦衣锦尚䌹[①]，恶此而逃之之意。

【注释】

①絅(jiǒng)：罩在外面的单衣。

【译文】

考据学和诗相距最远，但诗中偏巧有许多与考据有关的题目，如《石鼓歌》、《铁券行》之类的诗，不得不征引文献考据典故，并以旁征博引为贵。但作诗必须一气呵成，有议论和起伏才算好，不可以一点点地堆积，否则只能算得上是一名知识广博之人。这种诗大概要用七言古诗才比较适宜，但也必须要放置在各本书中的各首诗之后，以备推究查寻。若是放在开头，用来支撑门面，那就是把屏风、床榻放在仪门的外面，大有穷人突然发财的样子，反而显得浅陋无知。孔夫子编辑《诗经》，把《国风》放在前面，然后才是《雅》、《颂》，这是因何呢？是因为《国风》更接近人的本性。我编了三十二卷的诗文，把七言绝句放在卷首，也是因为衣服虽华却单，讨厌它而想避开它的原因。

【原文】

有人以某巨公之诗，求选入《诗话》。余览之倦而思卧，因告之曰："诗甚清老，颇有工夫，然而非之无可非也，刺之无可刺也，选之无可选也，摘之无可摘也。孙兴公笑曹光禄：'辅佐文如白地明光锦，裁为负版绔，非无文采，绝少剪裁'是也。"或曰："其题皆壮语故耳。"余曰："不然。笔性灵，则为忠孝节义，俱有生气；笔性笨，虽咏闺房儿女，亦少风情。"

【译文】

有人拿来某位显要人物的诗，求我将它选入《诗话》。我看着看着不觉感到疲倦，于是告诉他说："这首诗写得很清老，有一定的功力，然而想指出其缺点又没有值得指出的，想讽刺又没有值得讽刺的，想选录又没有值得选录的，想摘录又没值得摘录的。孙兴公笑曹光禄说：'写的公文像铺在白地上明艳闪光的锦缎，可若用它的反面来裁剪裤子，不是没有文采，而是没有什么可剪裁的。'这句话正是说的这个意思。"有人说："诗题很大，诗句当然如此。"我说："不是这样的。若文笔灵活，就算写的是忠孝节义也有生气；若文笔笨拙，即使写闺房儿女之情，也很少有风情。"

补遗卷三

一四八、今之论诗三病

【原文】

孔子论诗，但云："兴、观、群、怨。"又云："温柔敦厚。"足矣。孟子论诗，但云："以意逆志。"又云："言近而旨远。"足矣。不料今之诗流，有三病焉：其一填书塞典，满纸死气，自矜淹博。其一全无蕴藉，矢口而道，自夸真率。近又有讲声调而圈平点仄以为谱者，戒蜂腰、鹤膝、叠韵、双声以为严者，栩栩然矜独得之秘。不知少陵所谓："老去渐于诗律细。"其何以谓之律？何以谓之细？少陵不言。元微之云："欲得人人服，须教面面全。"其作何全法，微之亦不言。盖诗境甚宽，诗情甚活，总在乎好学深思，心知其意，以不失孔、孟论诗之旨而已。必欲繁其例，狭其径，苛其条规，桎梏其性灵，使无生人之乐，不已傎[①]乎？唐齐己有《风骚旨格》，宋吴潜溪有《诗眼》：皆非大家真知诗者。

【注释】

①傎(diān)：颠倒错乱。

【译文】

孔子评论诗歌，只说“诗可以兴，可以观，可以群，可以怨”。又说“诗要温柔敦厚”。这就足够了。孟子评论诗歌，只说：“要以诗意表达志向。”又说：“诗的语言很浅显但意旨深远。”这就足够了。不料当今诗歌的流派，有三种毛病：一种是大量引用典故，满纸都是死气沉沉的文字，夸耀自己博学。一种是没有一点内涵，开口就说，夸耀自己率真。最近又有讲求声调和平仄的人，有严禁蜂腰、鹤膝、叠韵、双声的人，一副活泼欢畅的样子，好像只有自己掌握了其中的奥秘。不懂得杜甫所说的：“人老了写诗的格律渐渐趋于细致。”什么称之为律？怎样称之为细？杜甫没有说。元微之说：“想要每个人都信服，一定要做到面面俱全。”怎样才能达到全，元微之没有说。大概是诗的境界很宽，诗的感情很活，如果总是注意勤奋好学深思熟虑，内心知道其中的深意，就不会离开孔子、孟子评论诗歌的宗旨。一定要将写诗的规程弄得繁杂，途径弄得狭窄，条规弄得苛刻，就会使诗的性灵受到约束，使它没有了活人的快乐，这不就是颠倒错乱了吗？唐朝时齐已有《风骚旨格》，宋吴时潜溪有《诗眼》的提法，这些都和如今所谓的大家对诗的理解不同。

一四九、诗之刚柔

【原文】

诗家百体，严沧浪《诗话》，罗列最详，谓东坡、山谷诗，如子路见夫子，终有行行[①]之气。此语解颐[②]，即我规蒋心余能刚不能柔之说也。然李、杜、韩、苏四大家，惟李、杜刚柔参半，韩、苏纯刚，白香山则纯乎柔矣。

【注释】

①行行：不停地前行。

②解颐：开颜欢笑。

【译文】

诗的派别有上百种，在严羽的《沧浪诗话》中，罗列得最详尽，说苏东坡、白居易的诗，像子路见了孔子，始终有不停地前行的气势。这话让人开怀大笑。这里所说的实际上与我劝说蒋心余时所说的能刚不能柔的说法一致。然而李白、杜甫、韩愈、苏东坡四大家，只有李白、杜甫的诗风刚柔各占一半，韩愈、苏东坡的诗风中只有刚的一面，白居易的诗风中却全部都是柔的一面。

补遗卷四

一五〇、才高不狂

【原文】

人常言:“某才高,可惜太狂。”余道:“非也。从古高才,有过颜子与孔明者乎?然而颜子则有若无,实若虚矣。孔明则勤求启诲,孜孜不倦矣。”曾赠德厚庵云:“不数袁羊与范汪,更从何处放真长。骥虽力好终须德,人果才高断不狂。”又有人言:“某天分高,可惜不读书。某精明,可惜太刻。”余又道:“非也。天分果高,必知书中滋味,自然笃嗜。精明者,知其事之彻始彻终,当可而止,必不过于搜求;搜求太苦,必致自累其身。”故常云:“不读书,便是低天分;

行刻薄，真乃大糊涂。”

【译文】

人们常说：“某人才学很高，可惜太张狂了。”我说：“这种说法不对。从古至今才学高的人，有超过颜回和诸葛亮的吗？然而颜回看起来似乎没有才能，实际上是大智若愚。诸葛亮却勤奋好学，以求得启发和教诲，到了孜孜不倦的境地了。”我曾经赠诗给德厚庵道：“要是不算袁羊与范汪，那么又到哪里去寻找真正得道的道长呢。良马虽然腿功好，但终究要具备好的品德才行；人果真才气高就一定不会狂妄。”又有人说：“某某天分很高，只可惜不怎么读书。某某十分精明，只可惜太刻薄。”我又说：“这种说法不对。天分果真很高的人，一定知晓书中的滋味，自然而然会特别喜欢读书。头脑精明的人，懂得事情的来龙去脉，一定会适可而止，一定不会过分苛求，苛求过了头，一定会导致自己疲惫不堪，不能自拔。”所以常言道：“不读书，就表明他天分低；行为刁钻刻薄，就表明他是一个糊涂虫。”

一五一、意为主来词为奴

【原文】

浦柳愚山长云：“诗生于心，而成于手；然以心运手则可，以手代心则不可。今之描诗者，东拉西扯，左支右捂[①]，都从故纸堆来，不从性情流出，是以手代心也。”吴西林处士云：“诗以意为主人，以词以奴婢。若意少词多，便是主弱奴强,呼唤不动矣。”二说皆妙。

【注释】

①梧:同“吾”。

【译文】

浦柳愚山长说:“诗产生于内心,由手写成;然而用心来指挥手可以,用手来代替心则不行。当今写诗的人,东扯西拉,左支右吾,都从故纸堆中抄来,不是发自内心,这是用手来代替心啊。”吴西林处士说:“诗歌以意境为主人,以词句为奴婢。如果意境少而词句多,就是主人懦弱而奴婢强悍,就会指挥不动了。”这两人的说法都很好。

一五二、强词夺理

【原文】

蔡侍郎观澜守江宁时,私宰之禁甚严。余不以为然。一日,余在府署,蔡公坐堂收呈,有回民之黠者,具呈请释牛犯。其状首云:“为恩足以及禽兽,而功不至于百姓事。”蔡遣家人谓余曰:“君原劝我贵人贱畜,今果惹回民之嗔。然其状词,文理甚佳,须君替我强词夺理。”余书五绝于纸尾云:“太守非牛爱,心原爱老农。耕牛耕满野,百姓岂无功?”黠回无词而退。太

守牛禁，亦因之稍宽。

【译文】

蔡观澜侍郎任江宁太守时，严厉禁止私自宰杀耕牛。我颇不以为然。一天我在江宁府衙，蔡侍郎收拾上呈的状纸，其中有个聪明的回民，递状子请求释放私自杀牛的罪犯。那状纸开头写道："仁义施于畜生身上，但于老百姓却没有功德。"蔡侍郎派家人对我说："你原来劝我珍重人而别太看重牲畜，我不听，现在果然惹得回民生气。然而他们的状词，文理很好，必须请你替我强词夺理一下。"我在那张状纸的后面写了一首五绝说："太守不是爱牛，内心原本爱民。耕牛满山遍野耕种，于百姓怎么没有功德？"那人无话可说，只好告退。蔡太守严禁私杀耕牛的律令也稍稍宽松了些。

补遗卷六

一五三、随园先生文章魅力

【原文】

余在山阴，徐小汀秀才交十五金买《全集》三部。余归，如数寄之。未几，信来，说信面改"三"作"二"，有揠补痕，方知寄书人窃去一部矣。林远峰云："新建吴某夜被盗，七人明火执仗，捆缚事主，甚闹。最后有美少年，盛服而至，翻撷架上，见宋板《文选》、《小仓山房诗集》各一部，笑曰：'此富儿能读随园先生文，颇不俗，可释之。'手两书而去。"余按唐人载李涉遇盗一事，仿佛似之。至于窃书者，则又古人所无。方藕舡明府云：高丽进士李承熏、孝廉李喜明、秀才洪大荣等，俱在都中购《随园集》，问余起居、年齿甚殷。嘻，余愧矣！

【译文】

我住在山阴的时候，秀才徐小汀交了十五两银子要买我的三部

《全集》，我回来之后就如数寄给他。没过几天，他给我写了一封回信，信中说我的信封上的"三"字被人改成了"二"字，而且还有修补的痕迹，我才知道是寄书人偷去了我的一部《全集》。林远峰曾经说过："某天晚上，新建吴某家发生了盗窃案，七个强盗在火把的照耀下，手持棍棒，将主人捆绑起来，响声很大。一会儿，有一个俊美的少年，穿着绚丽的衣服款款而至，他在架上搜寻，得到一部宋板《文选》和《小仓山房诗集》。这个少年笑着说：'这个富人还能读随园先生的文章，非同寻常，可以放了他。'于是，少年拿着两部书大摇大摆地走了。"我觉得唐朝人记载的李涉遭遇窃贼的故事和这件事情很类似。而偷书者这种人，就是古人也从未有过。方藕舡明府说：朝鲜进士李承熏、孝廉李喜明和秀才洪大荣等人，都在京都购买了《随园集》，还殷切地关注着我的生活和年龄。哈，我真觉得有些惭愧！

一五四、京师三怪

【原文】

雍正间，孙文定公作总宪，李元直作御史，陈法作部郎，三人嶷嶷自立，以古贤相期，京师号曰"三怪"。余出孙公门下，采其行略，为作神道碑。后与李公子宪乔交好，为撰墓志。惟陈公观察淮扬时，余宰沭阳，隶其属下，亲承风采，平易可亲。及河帅白公被罪，公独以一疏保之，致革职戍边。信异人哉！仅记其《卧病诗》云："高卧新秋及暮秋，酒场文社废交游。萧

疏鬓发愁潘令，清瘦形骸笑隐侯。尽日闲书留枕畔，经时残药贮床头。世情肯信吾真懒，奈是维摩疾未瘳。”公字世垂，贵州人，癸巳进士。

【译文】

雍正年间，孙文定公任总宪，李元直任御史，陈法任部郎，三人都傲世独立不同凡响，以古代贤人为榜样，在京师被称为“三怪”。我是孙公的门下，根据他的事迹，为他撰写了碑文。后来我和李宪乔公子成为好朋友，得以为李公撰写墓志铭。陈公做淮扬观察时，我在沭阳做官，隶属于他的麾下，亲见了他的风采，他非常平易近人。等到白公河帅被问罪，唯独陈公进谏作保，以至于被撤职充军边关。他确实不同于常人！我仅记录了他的《卧病诗》：“躺在床上一直从初秋到深秋，酒场文社和交游都无从顾及。鬓发苍苍使潘令为之发愁，清瘦的身体受到隐侯的耻笑。这些天拿几本闲书放在枕旁，经常有吃剩的药存放在床头。常人更愿意相信我很懒惰，其实是维摩之类的大病未愈。”陈公字世垂，贵州人，是癸巳年的进士。

补遗卷八

一五五、云凤致歉

【原文】

余饮孙云凤家，饭米粗粝，而价甚昂，知为家奴所绐。归寓，适有送白粲者，以一斛贻之。云凤不受，札云："来意已悉。"盖疑老人以米傲之也。余殊觉扫兴，即题其札尾云："一囊脱粟远相贻，此意分明粟也知。底事坚辞违长者，闺中竟有女原思。"云凤悔之，寄《贺新凉》一词以自讼云："傍晚书来速，道原思抗违夫子，公然辞粟。已负先生周急意，敢又书中相渎[①]。况贽礼未修一束[②]。我是门墙迂弟子，觉囊中所赐非常禄，不敢受，劳往复。寸笺自悔匆匆肃，或其间措辞下笔，思之未熟。本借湖山供笑傲，何意翻多怒触？披读处，难胜踖踧[③]。无赖是毫端，今以前愆，仍付毫端赎。容与否？望批覆！"

【注释】

①渎：轻慢，亵渎。

②贽：礼物。修：通“羞”，进献。

③踖踧（jí cù）：恭敬而局促不安的样子。

【译文】

我在孙云凤家喝酒，他家虽是粗茶淡饭，价钱却十分昂贵，我知道他是被家奴所骗。回到住处，正好有人送来白米，我便送给他一斛。云凤不要，写信说：“你的来意我已明白。”大概是认为我这老头子因为有米而自傲。我很不高兴，随即在信尾题道：“一囊脱壳的米是别人大老远送来的，我的用意就连粟米也知道。你这样拒绝违背了我这老人的情意，闺中竟然会有女原思。”云凤很后悔，寄来《贺新凉》词一首以责备自己：“傍晚信来得十分快，信中说原思违背了您的心意，公开地不要粟米，已经辜负了您的周济的心意，又斗胆写信相轻慢。况且没有为您进献过一份礼物。我是您迂愚的弟子，觉得囊中所赐不是一般的俸禄，就不敢接受，劳驾您来回奔忙。写短信是为了悔过，也许此间

的用语还考虑不成熟。本想借湖山供您笑傲，又怎料到反而触怒您？您所读的信，难以表达我的悔意。尽管是小错，今天因为以前的过失，仍要写信赎罪。能否原谅，请批复。”

一五六、“多”字妙用

【原文】

祝芷塘《咏药》云：“尝遍苦甘千百味，活人常少杀人多。”赵云松《憎蚊》云：“一蚊便搅人终夕，宵小由来不在多。”程荆南《席上》云：“名士庖厨宫气少，山人冠履古风多。”吴兰雪见赠云：“三朝白发题襟遍，一代红妆立雪①多。”四用“多”字，俱妙。余《春日园中》亦有句云：“晴日不愁游女少，美人终竟大家多。”

【注释】

①立雪：《宋史·杨时传》：杨时和游酢往见其师程颐，颐闭目而坐，二人侍立不去，待颐发觉，门外已雪深一尺。后遂以“立雪”表示尊师重道，求学心切。

【译文】

祝芷塘在《咏药》中写道：“尝遍了酸甜苦辣千百种味道，使人能活下去的很少而伤人的很多。”赵云松《憎蚊》诗中写道：“一只蚊子就搅得人整夜无法安睡，低下的小人不因为多才扰人。”程荆南在《席上》中说："由名士做出来的饭菜很少有宫廷的气息，山里人戴帽穿鞋自古就风俗多。"吴兰雪的赠诗上写道："三朝老人的题词到处都是，巾帼之中也有许多求学心切的。"四首诗都用"多"字，都用得很妙。我的《春日园中》也有这样的句子："晴天不要担心出来游玩的女子少，美人终究要比普通人多。"

补遗卷九

一五七、和八十自寿诗

【原文】

和余《八十自寿》诗者多矣，余最爱程望川(宗洛)押“愁”字韵云：“百事早为他日计，一生常看别人愁。”和“朝”字韵云：“八千里外常扶杖，五十年来不上朝。”将“杖”、“朝”二字拆开一用，便成妙谛。

【译文】

写诗应和我的《八十自寿》诗的人有很多，但我最喜爱程望川(名宗洛)押“愁”字韵所写的一首诗，诗中写道：“诸事早已为日后设计好了，一生之中常常看别人发愁。”以及押“朝”字韵的一首诗，写道：“常拄着拐杖漫游于八千里之外，五十年来辞官归隐再也不上朝。”把“杖”、“朝”两个字拆开来用，便构成了一个妙谛。

一五八、投随园诗

【原文】

昆圃外孙访戚于吴江之梨里镇，有闻其自随园来者，一时欣欣相告，争投以诗，属其带归，采入《诗话》。佳句如邱笔峰《野泛》云："棹惊归浦鸭，犬吠过桥僧。"沈云巢《杨花》云："夜月不知来去影，征衫偏点别离人。"屠荻庄《醒庵分韵》云："老衲一龛依古佛，斜阳半壁恋诗人。"汝阶玉《即事》云："寒忆衣裘春日典，贫愁薪米闰年添。"

【译文】

我的外孙昆圃在吴江梨里镇走亲戚时，有人听说他是从随园来的，一时高兴得相互转告，竞相献上诗作，嘱托他带回来，希望能编入《诗话》中。其中的佳句有邱笔峰的《野泛》诗："荡桨惊起回归水边的野鸭，狗冲着过桥的僧人狂吠不止。"沈云巢在《杨花》诗中说："不知道夜晚月亮来去的踪影，杨花偏偏沾上离别人的征衣。"屠荻庄在《醒庵分韵》诗中说："神龛旁的老衲皈依古佛，半壁的斜阳眷恋着诗人。"汝阶玉在《即事》诗中说："寒冷使我想起春日典卖的衣裘，贫穷让我为闰年所增添的柴米而发愁。"

补遗卷十

一五九、荒唐亦可爱

【原文】

诗不能作甘言，便做辣语、荒唐语，亦复可爱。国初阎某有句云：“杀我安知非赏鉴，因人决不是英雄。”《咏汉高》云：“能通关内风云气，不讳山东酒色名。”“英雄本不羞贫贱，歌舞何曾损帝王。”可以谓之辣矣。或赠道士云：“炼成云母堪炊饭，收得雷公当吏兵。”或《自述》云：“我向大罗看世界，世界不过手掌大。当时只为上升忙，不及提向瀛洲卖。”可以谓之荒唐矣。

【译文】

诗不能表达甘甜的意味，便可以作辛辣、荒唐的意味表达，也显得可爱。开国之初，有位阎某写诗说：“杀我又怎知不是欣赏我？依赖别人绝不是英雄好汉。”《咏汉高》里有：“能够贯通关内那风起云涌的气势，不避讳在山东时饮酒好色的声名。”“英雄本来不应该以过去的贫贱为羞，唱歌跳舞又何曾会损害帝王的英名？”这些诗可以称得上辛辣。有人赠诗给道士说：“炼成云母仙丹真可以用来生火做饭，把雷公收服当作小兵使唤。”有《自述》诗写道：“我面对大罗看这个世界，世界也不过手掌大小。当时只忙着向上界飞升，来不及把它拿到瀛洲去卖。”这可以称作是荒唐之语。

一六〇、即席赋诗

【原文】

乙卯春，余在扬州，巡漕谢香泉侍御移尊寓所，有梦楼侍讲、香岩秀才、歌者计赋琴。门下士刘熙即席云：“谢公清兴轶云霄，宾馆移尊慰寂寥。地足骋怀宁厌小，客仍是主不须招。无边烟景刚三月，盖世才人聚一宵。定有德星占太史，千秋高会续红桥。”“一枝玉树冠群芳，入座题襟兴倍长。从古佳人是男子（见《东汉书》），于今问字有歌郎（计郎学诗于随园）。酒倾长夜真如海，灯照名花别有光。细数平生游宴处，几回似此最难忘。”

【译文】

乙卯年春天，我在扬州，巡漕侍御谢香泉来到我的寓所请客，聚会的人有梦楼侍讲、秀才香岩和唱戏的伶人计赋琴。谢公门下士人刘熙即席作诗道:“谢公的清情雅兴直冲云霄,宾馆请客打发寂寥。地方足可以驰骋不要嫌它小,客人就是主人不须人招呼。三月扬州无边的烟花美景刚刚开始,盖世的才士欢聚良宵。一定有文德星为太史所占,真是千年的盛会续写红桥佳话。”“一枝玉树使群芳失色,入座在衣襟题诗使酒兴更浓。从古代以来佳人就是男子(参见《东汉书》),至于今天求字问诗的还有歌唱之人(计郎正跟随园老人学诗)。长夜漫漫酒如海,灯光名花两相映。回首平生游宴的地点,有几回能像今夜最难忘。”